I Narratori / Feltrinelli

IPPOLITA AVALLI

NASCERE
NON BASTA

Feltrinelli

© Giangiacomo Feltrinelli Editore Milano
Prima edizione ne "I Narratori" gennaio 2003

ISBN 88-07-01632-X

1.

COSE LONTANISSIME DA ME

Noi amiamo chi ci condanna e gli corriamo
dietro per salvarci.

JOHN SELDEN

L'autunno in cui parecchi di noi credevano che volere
fosse potere anch'io, come tanti, andavo via di casa.

Avevo sputato in faccia all'uomo che mi aveva fatto da
padre e detto addio a ciò che avevo di più caro al mondo.
Portavo con me le mie poche cose: una valigia che avevo ere-
ditato dalla mamma Luigina con dentro una gonna, una camicetta, un ricambio di biancheria. L'*Iliade* e l'*Eneide*. Il
Quaderno Speciale con le mie poesie.

Dovevo trovare la mia vera madre, una donna sconosciuta, la dea Senzanome che mi aveva messa al mondo e abbandonata in fasce al brefotrofio di Milano. Aspettare di avere
la maggiore età, aspettare cinque anni, per conoscere il suo
nome. Per questo, sulla copertina del *Quaderno Speciale*, al
posto del titolo avevo scritto a caratteri cubitali una data: 20
gennaio 1972, il giorno del mio ventunesimo compleanno.

Non era tanto per ricordare. Quella data era già scolpita
nella mia memoria. Ma avevo bisogno di vederla scritta per
sapere con certezza che, prima o poi, in ogni modo, a quel
giorno fatidico ci sarei arrivata davvero.

Avrei cercato mia madre e l'avrei trovata. Tutto sarebbe
andato a posto, dopo.

La corriera mi ha lasciata al capolinea, in Porta Romana.
Sono scesa e ho cominciato a camminare. Camminando sono arrivata in piazza Duomo. Di fronte alla cattedrale c'era
una galleria con esposti annunci di lavoro. Però una volta

che ci sono stata davanti non ho potuto fermarmi. Avevo una specie di carica nelle gambe. Si muovevano contro la mia volontà. Così ho proseguito. Per fortuna non ero più al paese, dove tutto quel camminare avrebbe dato fastidio a qualcuno. A Milano la gente ha il moto perpetuo. Tutti camminano di continuo. A chi potevo dare fastidio? Prima o poi avrei incontrato i ragazzi con i capelli lunghi che si vedevano alla tele e sembravano tenere il mondo in tasca insieme alle Marlboro. Miei simili, quelli con cui avrei avuto qualcosa a che spartire.

A un certo punto mi sono trovata sull'alzaia di un canale. Niente canne sul ciglio come lungo i miei fossi, ma le stesse manciate di maddalene, i ragnetti d'acqua, contro il bordo di cemento. Mi faceva sentire a casa, per questo l'ho seguito. Dopo un bel po' i palazzi si sono abbassati. Hanno cominciato a diradarsi. L'aria si è fatta frizzante. La città finiva. Allora sono tornata indietro. Al punto di partenza.

Quando è scesa la notte stavo ancora facendo su e giù e capelloni non ne avevo incontrati. Mi si chiudevano gli occhi per la stanchezza, ma le gambe no che non erano stanche. Nemmeno le sentivo. Mi sono rannicchiata dentro uno scatolone abbandonato sullo scalino di un negozio di alimentari, la valigia della mamma Luigina come cuscino. Al paese avevo passato parecchie notti all'addiaccio. Ma qui non era come nella mia campagna. Il buio non aveva il chiarore dei miei campi. Il mondo era fatto di palazzi, strade e finestre, e ogni volta che dietro una finestra si accendeva una luce sussultavo. Gli uomini mi chiamavano dal finestrino delle macchine di passaggio ma quando mi avvicinavo mi chiedevano tutti la stessa cosa: volevo compagnia? No che non la volevo. E i lampioni creavano lunghe ombre tremolanti che cambiavano sagoma di continuo e mi facevano impressione.

Frun-frun, frun-frun, nel dormiveglia sentivo le mie gambe sbattere contro le pareti di cartone. Forse era solo un tic nervoso. Fossi stata al paese avrei chiesto aiuto al dottor Gandolfi, anche se non era stato capace di salvare la mamma

Luigina. Ma qui era diverso. Non c'era nessuno che potesse aiutarmi, dovevo sbrigarmela da sola.

Al mattino le gambe stavano ancora andando. Mi sono tirata su e sono ripartita. Avanti e indietro lungo l'alzaia, come il giorno prima. Forse perché ci avevo passato la notte e ormai mi sembrava di conoscerlo, tornavo sempre a quel negozio di alimentari. Quando mi è venuta fame sono entrata e ho chiesto un panino. Trecento lire. Un po' caro, ma bello imbottito. Uno al giorno, e con le diecimila lire che avevo in tasca ci avrei vissuto un mese. Prima della chiusura, eccomi col naso spiaccicato contro la vetrina. C'erano troppe cose buone da mangiare in bella mostra. Passi per il primo giorno: avrei cominciato a razionare dall'indomani. "Cosa continui ad andare avanti e indietro, cerchi qualcuno?" mi ha chiesto il signore che stava dietro al bancone. Era venuto sulla soglia approfittando di un momento che non c'erano clienti e si asciugava le mani nel grembiule. I negozianti la sanno lunga, sulla gente. Lo so perché al paese avevo avuto modo di vedere all'opera il signor Manzoni, il salumiere dei salumieri. Anche se non ci capivo niente di convenienza sulle scatole di perborato, lui non aveva mai tentato di fregarmi. Forse perché era tifoso dell'Inter, come me. Questo qui invece era della fazione avversa, era milanista. C'era la foto della squadra e una del golden boy Gianni Rivera sopra la mensola, fra i prosciutti. Perciò ho deciso di stare zitta.

Mi ha passata ai raggi X.

"Ti andrebbe di fare le commissioni? Ti do vitto, alloggio, e ventimila lire al mese."

Avevo già lavorato a Milano. Correggevo bozze nella tipografia del signor De Sanctis. C'era una segretaria di nome Nadia. Con frangetta e capelli lisci neri tagliati pari sulle spalle come la regina Cleopatra. Alla pausa lui la chiamava nella sua stanza, la faceva mettere seduta sulla scrivania e le toglieva l'illusione che ci fossero braccia nelle quali potersi rifugiare.

Questo nuovo padrone si chiamava Riparo. Non avrei

fatto l'errore di prenderlo per un rifugio. Ormai decidevo per me. Era un duro lavoro? Accettato! Avevo la mia idea, il mio destino era scritto. Da qualche parte, in quella città, la dea Senzanome, mia madre, mi aspettava. Lei non sapeva che io ero già sul posto in attesa che il tempo passasse. Cinque anni, un'eternità, ma compiuti i ventuno mi sarei presentata dalla direttrice del brefotrofio e avrei chiesto di vedere la cartella dei *tre non* che mi aveva letto la volta che ero scappata di casa in bici per conoscere chi mi aveva messa al mondo. C'era scritto così: che *non* potevo sapere chi fosse mia madre perché *non* lo sapeva nessuno, dato che lei *non* aveva lasciato il nome. Cento a uno che non c'era scritto niente di simile. La direttrice si era inventata quella storia perché tornassi a casa buona buona, visto che papà era venuto a ripescarmi con don Bruno. È impossibile che una donna lasci il proprio bambino senza lasciare anche il proprio nome.

Trovando mia madre avrei saputo chi ero. Il mio vero nome. Quello che un giorno avrebbero stampato in grossi caratteri sulla copertina della raccolta delle mie poesie. Altro che pubblicarne semplicemente qualcuna a firma Vera Sironi sul giornale di Lodi, il "Cittadino", nel foglio *I giovani per i giovani*, com'era già successo. Papà si sarebbe finalmente convinto che valevo qualcosa.

Non mi aspettavo di trovare lavoro così presto. Che colpo di fortuna!

Il signor Riparo ha agguantato una maniglia sul pavimento. "La luce è laggiù, in fondo alla scala" mi ha detto indicando la botola: "Bada a dove metti i piedi e porta su poca roba per volta. Gli scalini sono sbreccati. Se scivoli e rompi qualcosa dovrò scalartelo dalla paga".

Laggiù c'era anche il mio alloggio. Una branda con coperta militare e materasso di gommapiuma, contro la parete sotto gli scaffali zeppi di scatole di conserva e sottaceti.

Attaccavo alle sei del mattino e staccavo alle nove di sera.

Su e giù attraverso la botola, dalla cantina al negozio, dal negozio alla cantina, portando casse di bibite, prosciutti, pasta, detersivi. Con una pausa alla latteria d'angolo per due uova strapazzate e gli occhi puntati sulla folla dei marciapiedi: uno dei ragazzi che mi interessavano prima o poi sarebbe passato.

Lavoravo senza prendere fiato e tenevo le mani bene in vista. Non volevo pensassero che tra un rifornimento e l'altro mi riempivo la pancia con la loro roba. Vera avanti e Vera indietro, zigzagando sui marciapiedi per consegnare generi di prima necessità.

"Allora, vuoi spicciarti?!"

Era la moglie del principale, la signora Gisella. Per lei non andavo mai abbastanza veloce. La sera sbandavo sulle gambe per la stanchezza, ma anche volendo non sarei potuta uscire. Il negozio aveva una sola porta. E, una volta fuori, il signor Riparo abbassava la saracinesca e metteva i chiavistelli.

Un giorno che avevo protestato – sono un garzone di bottega, non una sepolta viva, avevo detto – il signor Riparo mi aveva spiegato che se volevo fare fortuna dovevo lavorare duro e superare le prove senza lamentarmi. Mi ha precisato anche, chiaro e tondo, che la povertà è un destino, si vede che c'è qualcosa da scontare. Con chi non ha è inutile, anzi persino sbagliato, essere generosi. Tanto i poveri buoni non ci diventeranno mai, perché la povertà mette addosso la smania di possedere le cose. E la domenica mattina mi faceva fare gratis l'inventario del magazzino. In cambio, non mi poneva domande imbarazzanti. Ad esempio, non mi chiedeva di mostrargli i documenti. Anche se, nel caso, avrei avuto la risposta pronta.

Non li avevo.

Non potevo averli.

Non conveniva a nessuno.

Il mio adattamento della legge dei *tre non*.

In ogni caso avevo detto la verità: che avevo sedici anni. Gli stessi del loro figlio Gianni. Uno spilungone che andava al liceo, non spostava una paglia e trattava i libri come spazzatura. Pigiati e con le orecchie, li spiaccicava sul bancone per ficcarsi in bocca coppa e salame. Lui non era povero. Non doveva essere messo alla prova. Ma non mi sembrava buono. È buono uno che ti fa lo sgambetto mentre arranchi sotto una cassa di bottiglie di Coca e ti ride in faccia perché protesti?

Anche se cercavo di non pensarci mai, papà era sempre con me. Ora che non poteva vedermi, vivevo secondo il suo desiderio. Tutta precisione e responsabilità. Quanto gli sarei piaciuta! Certe volte chiudevo gli occhi per vederlo meglio. Veniva su dal giardino con una gerla di fieno sulla schiena, oppure si curvava a prendere i conigli appena nati – volevo sempre prenderli in braccio e tuffare la faccia nel loro pelo morbido –, si arrotolava le maniche della camicia sugli avambracci e le bretelle che la mamma Luigina aveva ricamato apposta per lui quando si erano sposati gli segnavano il petto. Faceva grandi assensi col capo e mi diceva: Brava! Se continui così, qualunque cosa farai andrai lontano. Ma ecco che la sua nuova moglie, la Maria, veniva sotto l'androne: "È fiato sprecato con lei. Non sarà mai una che pensa al futuro, si mette in regola e risparmia".

Infatti, quelle erano cose lontanissime da me. Io non ambivo a trovare un signor Riparo e a mettermi dietro a un bancone. In regola, poi! Avevo cose più pressanti da fare. Ad esempio: guarire dai tic, smettere di far andare le gambe.

Ma sotto sotto ero contenta di quello che stavo facendo e di come lo facevo, anche se a Gisella Riparo non andavo a genio. Parlando di me esagerava. Diceva che attraverso la botola il rumore delle mie gambe che battevano il tempo sul materasso di gommapiuma saliva fin nella sua camera da letto, di fianco al negozio. Le faceva fare sempre lo stesso brutto sogno. Aveva perso il padre nella campagna di Russia, ed eccolo venire nel turbinio della fiocca, gli scarponi sbrindellati, le tomaie squarciate sugli alluci gonfi e violacei. Lei gli tendeva un paniere di tutto il ben di dio che vendeva: cercava di abbracciarlo, ma quando lo toccava le sue mani affondavano nel petto del vecchio come in un banco di nebbia.

Mi difendevo da lei non dandole confidenza. Mi giudicasse pure dura, cinica, indifferente. Avrei fatto carte false perché non sapesse che dietro la mia corazza ero piena di compassione, delicata come un soffione di primavera.

Quando mi coricavo, infilavo le gambe nel maglione e annodavo le maniche ben strette intorno alle caviglie. Poi cominciavo a lottare contro gli incubi. Sognavo che metà del mio cuore brillava di luce e l'altra metà, in ombra, imputridiva e brulicava di vermi. Afferravo un coltello per tagliare via il marcio, ma: "Fermati!" mi gridava il mio cuore, "io e la mia ombra siamo tutt'uno. Non devi tagliarla via, ma curarla se non vuoi che io muoia e tu con me".

Mi svegliavo di colpo, sudata, spaventata. Avevo recepito il messaggio. Se lo si accetta, il male diventa parte di noi: siamo noi i responsabili delle nostre azioni e delle loro conseguenze. Non c'è niente di più odioso che doverlo ammettere. Niente di più irritante. Meglio sarebbe continuare a credere che la nostra paura è una giusta reazione alle disgrazie, alla sfortuna e all'incomprensione degli altri. Noi siamo solo vittime.

Mi succedeva già quando pulivo il prezzemolo. Appena cercavo di fare svelto per far contenti papà e la Maria, le mie mani rallentavano. Mi veniva il piombo nelle braccia. Più cercavo di mandarle veloci, più andavano piano.

Osservavo i frutti maturi sui rami. Tremavano sul picciolo. Avrebbero voluto resistere, invece si lasciavano cadere. La forza di gravità li attirava verso il basso e alla fine cedevano. Finivano a marcire in terra, divorati da larve e mosconi. Era ineluttabile. La forza che rallentava le mie mani era altrettanto ineluttabile? era un effetto della stessa causa, una legge della medesima natura? Sapevo che nasceva da me e guidava le mie azioni anche se non ne capivo il senso e il perché, né dove mi avrebbe portata.

Avevo ficcato la valigia della mamma Luigina sotto la branda e mi guardavo bene dal tirarla fuori. Mi sarebbe bastato alzare il coperchio e dare anche solo una sbirciata alla copertina del *Quaderno Speciale* per pensare a quanti fogli di calendario dovevano volare via prima che le cose andassero a posto. O ai canti dell'*Iliade* e dell'*Eneide* per ricordare ciò che avevo perduto e sentirmi morire di nostalgia.

Un giorno che sono capitata davanti all'ufficio di collocamento ho preso coraggio e sono entrata. Ho dovuto alzarmi sulla punta dei piedi perché non arrivavo allo sportello.

"Per piacere, potreste mettermi in regola?" ho chiesto.

"Quanti anni hai?"

L'ho detto e l'impiegato non la smetteva di squadrarmi.

"Figurati!... Tu non ce l'hai l'età per lavorare" ha sbuffato.

"Ma io ho bisogno di lavorare. Come faccio?"

"Questo non è il convento della carità. Affari tuoi. Ce l'hai una famiglia?" E siccome non rispondevo ha aggiunto: "Vieni alle cinque di questo pomeriggio e aspettami fuori. Sistemeremo tutto".

Cosa ho fatto? Niente. Non sono mica scema. Non ci sono andata. Sono rimasta al mio posto, in silenzio, in attesa. Sembravo una ragazza di paese, ma il mio sguardo si era spinto lontano. Sono entrata nel mondo dalla porta di servizio, ma sono cresciuta in mezzo a divinità ed eroi. Sapevo molte cose. Le avevo imparate dai miei campi, dagli alberi e dai racconti di Omero e Virgilio.

Non mi occupavo di me. Mi lasciavo esistere. Occuparsi di sé implica cura, amore. E l'amore è una cosa che si impara. Se nessuno si occupa di te, neppure tu ti occupi di te stesso. È così che vanno le cose a questo mondo. È così che andranno almeno fino a quando avremo paura e la faccenda dell'ombra e della luce non sarà sistemata una volta per tutte.

2.

PIACERE DI CONOSCERTI

"Che succede, gente?"
"Sei tu quello che succede."
"Anche tu stai accadendo, amico."
"Ma certo, io e te stiamo accadendo, amico."

Murray the K e Ringo Starr

La latteria d'angolo aveva finito le uova, così ho dovuto cercarne un'altra.

Ho attraversato la strada, mischiandomi alla folla che ogni giorno, a tutte le ore, spuntava e veniva inghiottita dal marciapiede. Amavo inalare la potente, calda zaffata di ferro che saliva appena infilavi il tunnel della metropolitana. Raggiungevo il fondo della banchina e pencolavo in bilico, annusando il buio della galleria. Quando il treno arrivava, mi piaceva farmi scompigliare i capelli, la gonna, la camicetta.

Quasi non ho fatto caso al clak! delle gambe. Mi si erano bloccate di colpo e non riuscivo più a muoverle per via di quello che avevo davanti agli occhi. Finalmente li avevo trovati! I ragazzi con i capelli lunghi, le chitarre e i sacchi a pelo; insomma: proprio loro, i miei simili. Avevano fatto un tappeto di cartacce, bottiglie e mozziconi di sigaretta. I passanti li scansavano, schifati. Ma loro se ne fregavano, anche se avevano messo in terra un paio di berretti per le offerte. Cantavano accompagnandosi con le chitarre e avevano l'aria di divertirsi parecchio. La conoscevo a memoria quella canzone. La gettonavo al juke-box, giù in paese, e la cantavo per farmi pagare panini e gassose al bar Betura, mentre qualche ragazzo lì intorno dimenava i fianchi. Conoscevo persino il senso, almeno di questa frase se non di tutte le altre. *Monday morning, so good to me.* Era proprio lunedì mattina. Sarebbe stata un'ottima giornata anche per me?

Dove siete stati finora? Perché non siete arrivati prima?,

15

mi domandavo. Li divoravo con gli occhi, ma di sottecchi, perché non se ne accorgessero.

Siamo giovani, abbiamo il mondo in pugno, tutto quello che si può desiderare è davanti a noi, basta allungare una mano e prenderlo. Solo a immaginarlo, mi girava la testa. Ho visto il vecchio mondo eclissarsi dietro la curva del tunnel. Sparito, con annessi e connessi, sottaceti, scatole di sardine e perborato. Cancellato, come non fosse mai esistito.

Poi è capitato che un signore, passando, ha sputato in terra come per sputar loro addosso e io sono diventata del colore dei papaveri. Uno del gruppo mi guardava con insistenza. Magro, allampanato, con una lunga barba incolta e capelli inanellati, fluttuanti come fili di seta. Tutto il Cristo deposto della chiesa grande.

"Vieni un po' qua!" mi ha fatto, battendosi la mano sulla coscia.

Desideravo talmente che mi chiamasse che in un secondo gli sono arrivata vicina. Col pensiero, dico, perché in realtà non mi sono mossa di un palmo. Spingevo avanti con tutte le forze le mie gambe di piombo. Quando finalmente l'ho raggiunto, ero in un bagno di sudore.

"Che hai da lumarci così, che vuoi?"

Ci sono rimasta malissimo. Non lo capivo. La sua pelle era giovane, ma la barba, i capelli lunghi e gli abiti in disordine lo facevano sembrare molto più vecchio.

"Quanti anni hai?" mi ha chiesto ancora.

"Diciotto."

"Uhm..."

"Sedici e mezzo. Quasi diciassette."

"Ah! Il nome?"

Vera non mi sembrava adatto. Giovanna, men che meno.

"Se non ti va, mosca. Io sono Dillo Boy."

Dillo Boy. Dillo Boy! Che nome stupendo, ho pensato.

All'improvviso mi sono sentita tutta consolata, come quando mi sdraiavo sul Cristo deposto, nella cappella in penombra della chiesa grande.

Continuavo a fissarlo a bocca aperta. Non potevo crede-re che fosse vero. Mi sono vista con i suoi occhi: la gonna di flanella al ginocchio, le scarpe basse, i capelli corti e l'aria da pulcino bagnato. Mi sentivo così ridicola che avrei voluto sprofondare, farmi invisibile.

Lui mi ha cacciato tra le mani il berretto per le offerte. Chiedere l'elemosina?! Una forza mi schiacciava il braccio lungo il fianco. Il berretto pesava come un macigno. Ovvio, era una prova. Dillo Boy voleva vedere se ero in grado di af-frontarla e superarla, prima di rivolgermi ancora la parola.

Scappare? Neanche a pensarci. Dovevo farmi venire in fretta un'idea, non potevo perdere l'occasione.

"Che ci fai in mezzo a questi schifosi? Tu sembri una ra-gazza onesta" ha gracchiato una vecchietta.

Tutti sono scoppiati a ridere, ma io non mi sono offesa. Il mio cervello lavorava a mille. Mi sono allontanata dal grup-po quel tanto che bastava perché non sentissero cosa andavo dicendo.

"Vuole che restino qui a sporcare tutto quanto?" sussur-ravo con aria complice ai passanti, "sto facendo una colletta, così se ne andranno via."

Le monete tintinnavano. Stavo facendo il pieno. Il cuore mi scoppiava d'orgoglio. Dillo Boy mi osservava. Non pote-va immaginare cosa dicevo alla gente. Doveva pensare che ero in gamba.

Voci e chitarre si sono azzittite di colpo. Un'onda ha at-traversato il gruppo. Tutti hanno cominciato a raccogliere in fretta e furia sacchi e chitarre. Due vigili stavano venendo verso di noi. Ho cominciato a tremare. Ero senza documen-ti, ma più di tutto temevo che le gambe mi avrebbero tradi-ta, che non ce l'avrei fatta a correre.

"Dai, sganciamoci!" mi ha sibilato Dillo Boy, rovesciando berretto e soldi in una sacca mentre mi afferrava per mano tra-scinandomi via. Sentivo la sua stretta. Era una sensazione me-ravigliosa. Oh, se tutti i giorni che mi restavano da vivere quel-la mano non mi avesse lasciata, la stretta non si fosse allentata!

17

Da quando ero andata via di casa non avevo più desiderato così tanto qualcosa. Per questo correvo come una lepre?

Siamo sbucati in superficie.

"Fermati: dove corri?!" mi ha fatto Dillo Boy.

Ansimava come un mantice arrugginito, addosso al muro.

"Accidenti alla merda!"

Ho annuito partecipe, come se capissi tutto, invece non capivo un bel niente. Quale merda? Lui si è guardato intorno. Si è caricato la chitarra in spalla.

"Vieni con me?" mi ha chiesto.

In capo al mondo, avrei voluto rispondere.

Ma la voce non è uscita. Del resto, gli avevo già detto di sì quando lui ancora non poteva sentirmi, nel tunnel della metropolitana.

Da fuori si vedeva che il negozio era pieno di clienti. I Riparo si affannavano dietro al bancone. Dillo Boy è rimasto ad aspettarmi due portoni prima. Ho esitato prima di entrare.

"Dove diavolo eri finita?!" ha strillato la signora Gisella, "guarda che ora è!"

L'orologio a muro segnava le 16.30. Due ore di ritardo!

"Sbrigati, c'è da fare una consegna urgente!"

Ho afferrato la grossa busta e mi sono precipitata nella botola. Ho ficcato le mie poche cose alla rinfusa nella valigia della mamma Luigina e sono riemersa, uscendo dal negozio a razzo. Non hanno fatto in tempo a fermarmi. Era una cattiva azione, ne ero consapevole. Rubare la busta della consegna a domicilio. L'impulso era venuto e l'avevo seguito senza pensarci. Me ne pentivo? Sì e no. Sì perché i Riparo erano stati gentili con me, no se guardavo la faccia di Dillo Boy. Doveva pensare che ero furba. Bastava vedere come mi fissava mentre scartava i pacchetti sulla panchina dei giardinetti.

Non c'era neanche un centimetro di lui che non mi andasse a genio. Soprattutto il suo odore. Aveva un fondo di selvatico che mi ricordava la pancia di Belinda, la mia pecora.

"Tu non mangi?" mi ha chiesto strappando a morsi una salsiccia.

Non avevo mai pensato che si potesse mangiare per strada in quella maniera, come se si fosse a tavola, in casa propria.

"Non ho fame."

"Brava, stecchino. Scommetto che non mangi mai. Nella valigia?"

"...Libri."

"Libri? Fa' vedere."

Ho fatto scattare la chiusura. È scoppiato a ridere.

"Che ci fai con i preistorici?"

"Li leggo..."

"Li leggi?! Ma queste sono muffe morte e sepolte, che ti frega di leggerli? Lo sai qual è adesso il grande poema?"

Ho scosso la testa. All'improvviso, non mi sentivo per niente bene.

"La realtà!" E Dillo Boy ha fatto ruotare il braccio a comprendere tutto quello che stava intorno.

Meno male che non aveva visto il *Quaderno Speciale*. E la data.

"Niente più libri. Roba per fossili. Punta sulla faccia. Hai una bocca tirabaci. Ti risulta?"

Non lo sapevo. O forse sì, perché quando un ragazzo mi guardava, tornava subito a guardarmi lì. Non volevo discutere con Dillo Boy. Ormai ero entrata nel Mondo Nuovo. Anche se partivo come mendicante e ladra non dovevo farmi impressionare. Il mio apprendistato non era che all'inizio. Non mi importava che Dillo Boy mi capisse, che fosse d'accordo con me, sui libri. Mi bastava che mi tenesse con sé. Magari senza fissarmi in quel modo. Mi faceva arrossire.

"Lo sai perché mi chiamano Dillo Boy?"

No, ovvio.

"Da piccolo, quand'ero come te, tutto perbenino, ba-

ba-balbettavo. Il matusa rompeva: dillo, ragazzo, di' quello
che hai da dire. Proprio non gli andavo giù. Mi pizzicava per
costringermi a parlare spedito. Niente da fare. Fratelli e cu-
gini sempre a sfottermi: dillo, dillo, dillo! E giù botte da or-
bi. Appena ho potuto me la sono filata. Ci credi? Come sono
stato fuori casa, stop. Bye bye balbuzie. Però, intanto, eccomi Dillo per tutti. Anche per me. Così ci ho appiccicato Boy,
in onore dei Beach Boys. Intendi, sbarbi?"
  "Be', è un bellissimo nome..." ho cominciato io.
  "Di' un po', piccola. Che succede?"
  "...Niente..."
  "Come, niente?! Sei tu quello che succede! Lo capisci, sì
o no?"
  Mi ha presa per mano, senza stringere. Non avevo mai
camminato mano nella mano con un ragazzo. Mi piaceva da
morire come parlava mentre mi teneva. Le sue parole erano
il lastricato della strada che mi avrebbe portata dritta filata
nel Mondo Nuovo.
  Abbiamo preso un tram, poi un altro. Ovunque fossimo,
sotto le pensiline, dentro i vagoni, si faceva spazio intorno.
La gente si scansava. Invece di offendermi, la cosa mi inor-
gogliva. Era un tributo alla nostra diversità.
  Siamo scesi alla fine del lungo viale Monza, dove passava-
no i camion diretti a nord. Si vedeva il dorso blu delle montagne all'orizzonte, con un cappello di neve in testa. Un cartello indicava: *Autostrade*.

  Dal ciglio della strada, Dillo Boy faceva segno col pollice
ai camion in transito. Nessuno si fermava. I camionisti mi
davano un'occhiata, poi giravano la testa e tiravano via.
  Dillo Boy si è chinato a frugare nella sua sacca, ha tolto
fuori una camicia fuxia cangiante con le maniche sfrangiate.
Mi ha detto di indossarla.
  "Ma no, scema, non sopra i vestiti!"
  Spogliarmi?! Lì, in mezzo alla strada? Davanti a tutti? Ci
ha pensato lui. Mi ha tolto la giacca, mi ha fatto saltare i bot-

toni della camicetta, la zip della gonna. Lo schiaffo dell'aria fredda sulle cosce mi ha lasciata senza fiato. I vestiti di Vera Giovanna Sironi sono finiti nel fosso oltre il guardrail. Ero piccola, troppo magra, la camicia mi pendeva addosso come da una stampella, fin sotto le ginocchia. Dillo Boy l'ha tagliata con i denti, poi ha strappato via un lembo di stoffa. Adesso mi arrivava una spanna sotto l'inguine.

"Ora sì che sei ganza."

"Per cosa?" ho chiesto cercando invano di tirare giù la camicia, battendo i denti per il freddo.

"Per l'Europa" ha detto Dillo Boy.

Il mio mondo si fermava a Milano. Non avevo visto nient'altro. L'unico posto che avevo sentito nominare era Lugano, Svizzera. Era là che anni prima papà aveva portato la mamma Luigina con la Giulietta del signor Marzatico per farla curare. Eu-ro-pa. Che parola grandiosa! Per dirla bisognava stirare le labbra, ti riempiva la bocca. Una finestra si è spalancata nella mia testa e un vento profumato mi ha rinfrescato i pensieri. Non avevo mai osato spingermi tanto in alto. Dillo Boy era il mago che stava tramutando la realtà. D'ora in poi la vita sarebbe stata come volteggiare sul seggiolino della ruota delle giostre Paganini il giorno dell'Assunta.

Un camion ha fatto stridere i freni. La portiera si è aperta, Dillo Boy mi ha presa in braccio e mi ha spinta su dal posteriore. Due manone si sono sporte ad afferrarmi. Era la prima volta che salivo su un camion. Nella cabina c'era un caldo appiccicoso che dava allo stomaco e il camionista non aveva nessun controllo sulle sue mani: gli scappavano di continuo, e sempre addosso a me. Stringevo la valigia al petto un po' per coprirmi, un po' a scudo. Il vero baluardo sarebbe stato Dillo Boy, ma lui aveva preso posto accanto al finestrino e si faceva in quattro per offrire al camionista sigarette e ciuingam, tutto contento come se avesse ritrovato un vecchio amico.

"Bella bambina, un po' magrolina però" ridacchiava il camionista.

Mi dava fastidio e avevo paura che finissimo fuori strada, ma ancora più insopportabili erano le sue risatine, come se quell'uomo fosse al corrente di qualcosa di ignobile che riguardava la mia persona e che io ignoravo.

"Come ti chiami?"

"Dillo Boy."

"Che razza di nome. E lei?"

C'era un cartello stradale zeppo di nomi e frecce. Monza, Seveso, Rho, Lissone.

"Lisa!" ho esclamato d'istinto.

Lo sguardo di approvazione di Dillo Boy mi ha fatta palpitare.

"E dove andate?"

"In Europa" ha detto Dillo Boy.

"Non fatemi ridere! Svizzera, Francia, Germania?"

Dillo Boy mi ha lanciato un'occhiata d'intesa: questo qua è un matusa, non capisce niente.

"Lei dove va?" gli ha chiesto.

"A Como."

"Como ci va bene."

E Dillo Boy ha attaccato *Satisfaction*.

Il camionista si agitava sul sedile, batteva le mani sul volante anche se non andava a tempo, non ne imbroccava una. I Rolling Stones erano un martirio per le sue orecchie. Ha messo la freccia, infilando un'area di rifornimento.

"Vatti a fare un giro, capellone, e tu, signorinella, metti giù la valigia, nessuno te la ruba."

"Vacci piano, amico," e Dillo Boy gli ha strizzato l'occhio (ma insomma, da che parte stava?), "prima devo dire un paio di cosette alla Lisa."

Ed eccoci nel bagno delle donne.

"*Sa-ti-sfa-ction*" ha canticchiato Dillo Boy, appoggiando in terra la chitarra e mettendo il paletto alla porta.

Ho tolto di tasca i soldi che mi restavano dell'ultimo stipendio. Glieli ho offerti.

"Senti..."

Lui li ha contati e se li è infilati in tasca. Mi ha liberato la fronte da una ciocca di capelli.

La sua bocca era a un centimetro dalla mia.

"*Hey hey hey, that's what I say...*"

Mi ha passato l'indice sul contorno delle labbra.

"Lisa... mica male come nome. Patty era più ganzo. Ma penso che farai presto a scafarti."

A parte il signor De Sanctis, nessuno mi aveva mai toccata. Un giovedì, mi aveva chiesto di sostituire la sua segretaria, la Nadia-Cleopatra, che aveva il raffreddore. Mi aveva fatto sedere – come faceva con lei – sulla sua scrivania. Era grasso e molle, non mi aveva fatto male. Appena libera, ero corsa in bagno. Mi ero lavata dappertutto. Ma il giorno dopo mi aveva chiamata di nuovo e io ci ero andata. Perché? Avevo paura che mi cacciasse. Non avrei sopportato di tornare a casa, di dover dire a papà che avevo fallito proprio nel lavoro che io avevo scelto e che faceva al caso mio. Ma ecco che si era messo a piovere e la Nadia-Cleopatra era tornata indietro a prendere l'ombrello. Ci aveva scoperti e il signor De Sanctis mi aveva licenziata anche se l'avevo supplicato fino alle lacrime di non farlo.

L'unico bacio me l'aveva dato il mio solo amico, Omero, quando era tornato dal seminario, anche se era già fidanzato con la Graziella. Mi aveva spinto la lingua in bocca che guizzava come una trota facendomi venire il voltastomaco. E anche se avevo trovato piacevole il sapore che mi aveva lasciato sul palato e subito dopo mi erano spuntate le tette, a quelle cose non avevo più pensato.

Ora la questione era diversa.

Riguardava Dillo Boy e me. Lui mi aveva presa con sé. Eravamo insieme, tutta per uno, *uno per tutta*. Se nella nostra storia voleva metterci anche quello, non mi sarei tirata indietro.

Ma non appena la sua bocca ha sfiorato la mia ho avvertito un'ondata di calore spaventoso tra le gambe e ho fatto un balzo indietro, addossandomi alle piastrelle. Dillo Boy non sembrava essersene accorto. Se ne stava lì a sorridere tutto sbiellato, come se conoscesse ogni cosa dell'universo.

Mi ha infilato una mano fra le cosce. L'ha subito strappata via.

"Ma cos'hai in mezzo alle gambe? Un vulcano?!"

Mi mordevo le labbra per non scoppiare a piangere. Gli ho messo le braccia intorno al collo. Il calore saliva, avevo la pelle d'oca e brividi di freddo, battevo i denti come quando si ha il febbrone. Vincendo la sua resistenza, gli ho guidato la mano tra le mie cosce. Dillo Boy l'ha strappata via di nuovo imprecando e prendendo a schiaffi l'aria. È rimasto a guardarmi stranito, poi ha afferrato la chitarra, fatto scattare il fermo alla porta ed è scappato via, lasciandomi confusa e ammutolita.

Mi sono chinata a guardarmi. Una macchia rossa come una scottatura si allargava sul mio interno cosce. Una nuova malattia, di gran lunga peggiore del moto perpetuo delle gambe. Scottavo. Non mi importava che la mia temperatura fosse schizzata in alto. Pensavo solo: è finita, cento a uno che Dillo Boy mi molla a terra.

La porta si è riaperta: era il camionista. Gli arrivavo appena alla cintura. Non so cosa gli avesse detto Dillo Boy, ma si tastava davanti come uno che non si tiene più, sta per esplodere.

"Lisa Torcia Ardente..." ha borbottato divertito, "che accidenti di nome. Ce n'ha di fantasia quel capellone! Niente paura, a te ci penso io."

Si è guardato un momento intorno per valutare cosa gli convenisse fare e sulle prime credo abbia pensato di issarmi sul cassonetto del water. Invece mi si è inginocchiato davanti, infilandomi la testa fra le gambe. Non ho avuto il tempo di morire di vergogna. È saltato su bestemmiando. È corso al lavabo. Ha aperto il rubinetto al massimo, ficcato la faccia sotto il getto d'acqua. Si è tirato su grondante, la bocca aperta, la lingua di fuori. Mi guardava come fossi un'extraterrestre. Dalle mie cosce la macchia era passata sul suo mento e le labbra gli si stavano gonfiando come petali d'orchidea.

3.

LA DURA LEGGE DEL CAMION

> Generazioni più antiche di noi hanno accresciuto il loro intelletto osservando il cielo, la terra e il fuoco e l'acqua, trovando in ciascuno di questi elementi i propri dèi. Noi scovammo i nostri nella musica pop.
>
> DIEDRICH DIEDRICHSEN

Scaricati su due piedi.

Non sapevo più dove mettere gli occhi, me stessa. Eravamo sul ciglio della statale, distanti un paio di metri l'uno dall'altra, ma sembrava che neppure ci conoscessimo, Dillo Boy e io. Avevo l'impressione che, se appena facevo un passo verso di lui, lui ne faceva uno per allontanarsi da me. Gli facevo paura? schifo? Ero furibonda, ce l'avevo a morte con me stessa. Per essere più precisi, con il mio corpo e le sue strane malattie: andare in ebollizione se un maschio mi toccava! Vuoi vedere che la Maria aveva ragione? Forse in me c'era un demonio che comandava la mia carne, i miei pensieri e i miei sentimenti. Più mi disprezzavo, più provavo compassione e simpatia per Dillo Boy. Avrei dato qualunque cosa per essere una ragazza del Mondo Nuovo, una Patty o una Randy. Invece restavo un maledetto impiastro. Lisa mi era sembrato un nome in grado di farmi partire col piede giusto. Invece era arrivata Torcia Ardente a rovinare tutto. Andare da un dottore. Ma quale? dove? quando? Coraggio, mi dicevo, forse anche questa malattia, come il frunfrare delle gambe, passerà da sola, improvvisamente, com'è venuta. Nel frattempo, meglio starsene in disparte. Tornare indietro, dai Riparo? andare per la mia strada? Non riuscivo a decidermi, restavo immobile e zitta, sperando in un miracolo.

Un camion ha fatto gemere i freni sull'altro lato della statale. Qualcuno è rotolato sul ciglio della strada. Il camion è ripartito a singhiozzo facendo apparire una cascata di capelli biondi, un tubino nero, un paio di cosce lunghe, stivali di vernice nera.

Dillo Boy si è rianimato.

"Cazzo, non dirmelo! La Genni!"

Ha chiuso le mani a imbuto intorno alla bocca.

"Genni?!"

La ragazza ha guardato dalla nostra parte e ci ha puntato contro le braccia a mitra.

Dillo Boy è crollato in terra, gemendo, scalciando e accartocciandosi come se fosse stato colpito sul serio. Io sono rimasta a guardare senza capire e la Genni ha cominciato a venire verso di noi, ancheggiando sui tacchi, padrona della strada. Le macchine inchiodavano e si rimettevano in carreggiata sculettando, facendo strillare il clacson.

"Ciao, bello."

"Ciao."

Sembrava un'attrice per come era pettinata e truccata, il vestito le scoppiava addosso e Dillo Boy la guardava estasiato.

"È l'effetto del cannabinolo o questa qua è stata partorita stamattina?" gli ha chiesto la Genni, indicandomi.

"È la Lisa. Sta con me. Ce ne andiamo a Londra" ha fatto Dillo Boy.

"Dio, è la Lisa, sta con me, ce ne andiamo a Londra. Vecchio porco! Vuoi dire che te lo succhia per benino?"

Dillo Boy si è grattato la testa, perplesso.

"Ehi, avete una percezione chiara del presente? Fate sesso selvaggio almeno una volta al giorno?"

Ha alzato il pollice verso le montagne. Si è rivolta direttamente a me.

"Sai cos'è Londra? hai idea di cosa sia? Sono tutti giovani là, è una cosa completamente nuova, un tappeto di chiappe che si dimenano, gente che si strappa i capelli dalla mattina alla sera. Non mi sembri pronta."

Ha tolto qualcosa di tasca e me l'ha ficcata tra i denti.

Ha fatto lo stesso con Dillo Boy.

"Al downer penseremo dopo."

Una pastiglia mi si stava sciogliendo sulla lingua.

Non capivo un'acca di quello che diceva la Genni. Cannabinolo: cosa diavolo era? Per non sbagliare tenevo gli occhi ben aperti per imitare Dillo Boy. Lui ha inghiottito. Ho inghiottito anch'io.

Non so quanto tempo è passato. Eravamo andati a sederci su un prato poco distante dalla statale e Dillo Boy sembrava aver dimenticato quello che era successo nella toilette. Aveva arrotolato una sigaretta mischiando al tabacco una sostanza scura dal profumo meraviglioso che gli aveva dato la Genni, scaldandola al fuoco di un fiammifero. Lei l'aveva accesa come se compisse un rito, dicendo:

"Non ci provate più a mettere l'articolo davanti al mio nome! Che mania avete da queste parti, di trattare le persone come cose. La Genni, la Lisa, il Dillo Boy, il Dillolillo... oè, se lo rifate vi trincio la gustativa. Provinciali, puah".

Aveva tirato una gran boccata gettando indietro la testa, socchiudendo gli occhi per il piacere. Dalle sue narici il fumo aveva preso a uscire lento, corposo, inarrestabile.

Per Dillo Boy la Genni, cioè Genni, doveva essere una calamita. Non le si scollava di un centimetro. Si erano lasciati andare lunghi distesi sull'erba, perduti in un mondo parallelo. A giudicare da come stavano, chiunque avrebbe desiderato raggiungerli.

Così avevo sfilato la sigaretta penzolante dalle dita di Dillo Boy e l'avevo appena portata alle labbra quando un petardo mi è scoppiato in testa.

Il castagno che stava a cinque, sei metri di distanza mi è venuto incontro minaccioso. Mi sono tirata su per evitare l'impatto ma i cespugli di rovi accanto a me si sono messi a litigare, le zolle a sfasciarsi come cocomeri sfranti mentre un esercito di formiche giganti dava l'assalto alle mie mutande. Mi sono voltata per chiedere aiuto ai miei nuovi amici, ma loro avevano i lineamenti per traverso. Le facce gli si stiravano come ciuingam e anche alla mia bocca era successo qualcosa, perché le parole uscivano distorte, come da una zampogna.

Però dovevamo essere contenti, visto che ci siamo messi a fare i passeri, svolazzando in esplorazione di ramo in ramo.

"Guardate come sono belli!" ho esclamato con la mia voce di zampogna, "non sono cachi questi?"

Mi rigiravo un frutto tra le mani: vedevo distintamente le nervature e le vene tenero-brillante della buccia. Un capolavoro della natura. Ne valutavo attentamente il peso: venti, ventidue grammi? Pensavo di mangiarlo e, per il piacere, la mia bocca era fradicia di saliva.

"È un caco, sapete, un caco, un caco!"

"Sì, bella, è un caco. Che rottura! Lo sappiamo, è un caco!" ha fatto Genni.

"Un caco, capisci?!"

Mi ero rivolta a Dillo Boy. Da quando Genni gli faceva gli occhi dolci lo trovavo ancora più carino. Volevo che notasse il mio acume.

Ma lui stava col sedere per aria e la faccia a un millimetro dall'imboccatura di un formicaio. Guardava estasiato la colonna di formiche al lavoro.

"Z-zit-ta, o-o-ss-ervale," mi ha balbettato in tono ispirato, "c-c'è tutto da iiii-imparare da loro, p-p-portano i c-capelli i-in aaa-vanti!"

Era tornato piccolo! Ribalbettava! Un'onda pietosa mi è salita dal petto alla faringe, facendo due laghi dei miei occhi. Un ruscello si è scavato un letto sulla mia guancia e mi è precipitato in bocca. La sua consistenza dolceamara si è infranta su ogni millimetro quadrato della mia lingua. Era una semplice lacrima ma in un attimo è diventata tutta me.

"Piacere di conoscerti, lacrima, davvero!" andavo ripetendo, sciogliendomi in singhiozzi.

"A questa sono andati in tilt i neuroni," ha fatto Genni, "mica si farà tutti i trip così."

Un colpo di vento mi ha scagliata lontano. Il prato crollava e io cercavo di tenerlo su. Si lamentava e io lo consolavo. Ma era tanto più potente di me e sono precipitata con lui nelle sue zolle, dove mi arrivavano le grida isteriche di Genni. Dillo Boy l'aveva afferrata per le spalle e la sbatacchiava come un fuscello. Le gridava: "Mmm-ii inseg-gguono, sss-sono dappertutto, ppp-possibile ch-che non li vedi?!".

Poi, all'improvviso, voci cagnacce si sono sovrapposte alle loro. Singhiozzavo a occhi chiusi, perduta nel mio liquame. Tutti i miei pensieri si spezzavano come filo marcio, eppure ero viva e presente, completamente nuova, fusa con la balbuzie di Dillo Boy e gli strilli di Genni, l'essenza dei cachi e delle lacrime, dei cespugli di rovi e delle zolle, di ogni infinitesima cosa.

Qualcuno mi prendeva per le braccia, per i piedi, folate di vento mi attraversavano il corpo, le mie ossa scricchiolavano. Volando nel vuoto, sono planata sopra qualcosa di duro e ruvido. Un motore ha preso a scoppiettare, accidenti, dov'era finita la valigia della mamma Luigina?... Una chitarra suonava, una voce cantava... Dillo Boy? No, era la ragazza, come si chiamava... Gin-Gen, Stivali di Vernice, ecco! E io, come mi chiamavo io?

Tutto fluiva leggero, sublime e vuoto nel mio cervello dilatato.

"Esagerata, piangere così! Sei una che aspira alla felicità di brutto, eh?"

Sfregamento ritmico a pochi centimetri dal mio naso. Una lama di luce mi feriva gli occhi tumefatti. Un tocco morbido e profumato mi asciugava collo e tempie: Genni. Lei, sì. Mi spostava, come fossi una creatura. Le sue dita si sono fatte strada fra le mie labbra e mi hanno depositato sulla lingua un'altra pastiglia.

Dal tempo immemorabile in cui il camion l'aveva sputata sul bordo della strada le cose andavano tanto veloci che era impossibile stargli dietro.

La voce sconosciuta di un uomo, quella cacagliante di

Dillo Boy e quella acuta di Genni hanno cominciato a parlare in un inglese di cui afferravo qui e là parole di canzoni. Mi sono rannicchiata sul bordo di un pensiero angoscioso come una goccia in ritardo sull'orlo di un rubinetto: ero ormai certa di aver perso la valigia. La preziosa valigia della mamma Luigina con dentro tutto ciò che di più sacro e indispensabile avevo al mondo.

Che Dillo Boy avesse ragione? Davvero l'*Iliade*, l'*Eneide* e il *Quaderno Speciale* non mi sarebbero stati di nessuna utilità nel Mondo Nuovo? Adesso occorreva imparare la lingua di tutti. Non bastava più ripetere a pappagallo le parole delle canzoni. Bisognava capirne il senso, essere in grado di chiedere indicazioni, un panino, un disco, che ne so: scusi, dov'è il gabinetto?

Consonanti singole, spezzate, sconnesse, mi scoppiavano intorno in un frastuono di boati e fuochi d'artificio senza che riuscissi ad afferrarne una, combinarla con un'altra e mettere assieme qualcosa di sensato.

Vicinissima, la risata di Genni, Dillo Boy che intonava...
It's down to me, the change has come...

Ho lasciato la valigia, i libri, le poesie e la mia data cubitale sulla soglia del buio e del silenzio, e mi sono lanciata dentro il frastuono.

4.

NESSUNO COME NOI

L'amore scusa tutto quel che fa.

MOLIÈRE

Sulle prime ho pensato di essere ancora sotto l'effetto delle pastiglie di Genni.

Nella piazza dove ci aveva scaricato l'ennesimo camion, in quella gelida alba, qualcuno aveva stretto il mondo in uno schiaccianoci e aveva premuto, mettendo le cose ad angolo acuto. Palazzi, ciascuno con cento finestre, si abbarbicavano gli uni sugli altri come per ripararsi dal nevischio, facendo spazio agli ampi viali; i rari passanti ci sbirciavano appena, scappando via di traverso. E il cielo? Lontanissimo, come se avesse litigato con la terra e le tenesse il broncio. Per gioco, credo, sennò come avrebbe potuto la città avere quel nome civettuolo? Parigi.

Il nostro trio avanzava compatto, chi se ne frega dei cappotti. Per non scivolare mi appendevo al braccio di Genni. Mi è venuta una gran nostalgia della notte in cui Belinda aveva partorito gli agnelli e io e papà avevamo attraversato il cortile ghiacciato diretti agli stabbi. Lui mi teneva stretta sotto il suo mantello. Il vento soffiava forte, ma sotto quel riparo sarei potuta arrivare in capo al mondo.

Dillo Boy seguiva Genni. Genni seguiva una sua meta. La meta sarebbe stata disponibile non prima di mezzogiorno. Così ci siamo infilati nel metrò. Mica due sole linee come a Milano, ma un intrico di gallerie e strade ferrate riscaldate nella pancia di Parigi. Una miniera d'oro per capelloni suonatori ambulanti come noi.

31

"Benvenuta nella ville lumière! Qui mica uno ti guarda schifo se esibisci chiome, pelle nera e minigonna" mi ha detto Dillo Boy (to', non balbettava più) facendomi segno di scostarmi da lui, di non essere timida, di allungare decisa il berretto verso i passanti mentre lui e Genni intonavano "*Ba Ba Ba, Ba-Barbra Ann*".

Era uno schianto guardare Genni agitare i fianchi, cacciare fuori la lingua, fare boccacce. La gente non voltava via la faccia come i milanesi, che sembrava avessero visto il demonio. I parigini si giravano a guardarci una, due volte, lasciandosi sfuggire sorrisetti divertiti.

Ma per me non era facile. Proprio non riuscivo a entrare nella parte. Fra me e quello che mi chiedevano di fare c'era una siepe altissima, invalicabile. Perché, se con Dillo Boy e Genni mi sentivo una cosa sola? se li consideravo miei simili, non estranei come i ragazzi normali che stavano in famiglia, andavano a scuola e dal barbiere? Forse non sarei mai riuscita a far parte di un gruppo. Forse, per tutta la vita, non avrei potuto appartenere a qualcuno, avrei fatto parte per me stessa. Mi rosicchiavo le unghie, sentendomi terribilmente in colpa. Ma sentirmi in colpa non bastava a vincere la resistenza fra me e me, a saltare la siepe. Una voce interiore mi strillava: fallo! Però il mio braccio non si tendeva. Non potevo. Era più forte di me. Genni mi ha strappato il berretto di mano.

"Impiastro, luma come si fa" e si è messa a tampinare i passanti infreddoliti col suo modo superprovocante, mentre io mi appiattivo contro il muro.

"Almeno intona!" mi ha sibilato a denti stretti Dillo Boy.

Niente da fare. Neanche se me lo chiedeva lui. E dire che le sapevo a memoria le parole di *Barbra Ann*.

La meta di mezzogiorno era un appartamento su un'ampia piazza rotonda. Già dalla tromba delle scale si sentiva il chiasso assordante delle chitarre. Non i toni leggeri, gli accordi orecchiabili, i ritornelli che ti si stampavano subito in testa, le marcette dei Beatles o dei Beach Boys. Nemmeno i ritmi sincopati degli Stones a cui ero abituata, ma altri suoni ancora, nuovi, violenti, acuti, disturbati, un rincorrersi di note di chitarra che urlavano e si azzuffavano.

Siamo entrati per uno stretto corridoio e per una cucina buia in una stanza con le finestre oscurate da tendaggi colorati e fluttuanti, l'aria satura di aromi dolciastri. Niente mobili, salvo un materasso enorme gettato sul pavimento. Stravaccate sopra, due ragazze in minigonna masticavano ciuingam facendo palloncini, sfogliavano riviste di moda, strofinandosi una contro l'altra. Tutte le sedie erano occupate dai produttori di quell'orgia di suoni: quattro ragazzi con i capelli lunghi sciolti sulle spalle, addosso lunghe vestaglie senza allacciatura col girocollo ricamato, che ci hanno appena degnati di un'occhiata e uno smozzicato "*Hi*".

L'aria era irrespirabile, piacevolmente sporca. Infilzati in ciotole di rame, bruciavano bastoncini d'incenso. Uno dei ragazzi si è alzato per prendere una birra sul tavolo. La vestaglia gli si è aperta. Indossava solo una maglietta. Niente mutande. Sono rimasta a bocca aperta a fissare il suo coso piumato e ballonzolante. Il ragazzo mi ha guardata. Io ho distolto subito lo sguardo e lui è scoppiato a ridere. Dannazione, avevo tutto da imparare, perché nessuno glielo diceva?

Mi ha fatto male che Dillo Boy si unisse alla sua risata. Allora non gli era passata! Ce l'aveva ancora con me per quello che era successo nella toilette. Ci ho messo un po' a sintonizzarmi sul botta e risposta fra Genni e le ragazze:

"*Purple haze was in my brain...*".
"*Lately things don't seem the same!*"
"*Actin' funny, but I don't know why...*"
"*...'Scuse me while I kiss the sky!*"

Mi fissavano. Dicevano a me?

Brancolavo nel buio. Non conoscevo quella canzone, non l'avevo mai sentita cantare. Dannazione, non potevano trovarne una più facile?

Ho fatto in fretta a capire: magri, emaciati, guai a sorridere. Vietate comunicazioni banali tipo: passami questo, dammi quello e domande come: da dove vieni, dove vai? Noi femmine passavamo i pomeriggi a metterci lo smalto sulle unghie, applicare ricami ai jeans, rollare sigarette. I maschi provavano i pezzi alle chitarre per la sera, mischiando al tabacco polveri e pasticche triturate, erbe e sostanze profumate di tutte le sfumature del verde e del marrone fino a sballare duro.

Col buio mettere insieme le ossa e andare nelle *boîtes* a suonare e a far casino. C'erano parecchie cantine dove si suonava la *nostra* musica. Gruppi che si formavano lì per lì, gente che faceva la spola tra Parigi e Londra e imitava alla perfezione il sitar distorto di Brian Jones in *Mother's Little Helper*, preoccupati soprattutto di una cosa: non mettere su pancia e sedere (le pillole aiutavano, eccome!).

Mischiati a travestiti, sconvolti, freak, Dillo Boy e Genni non si perdevano una rissa, e dagli a telare non appena si sentiva la sirena dei flic.

Questo era il nottegiorno per chi stava fuori, fuori casa, fuori posto, fuori di testa, fuori di sé.

Per Dillo Boy.

Per Genni.

Anche per me?

Da quando mi ero unita ai miei nuovi amici erano passati pochi giorni, ma sembrava un'eternità. E nello stesso tempo sembrava che questa eternità fosse cominciata da dieci minuti.

Quel pomeriggio eravamo in quattro nell'appartamento al terzo piano. Dillo Boy, Genni, io e un certo Carlito, un piccoletto che qualsiasi cosa gli chiedessi rispondeva *nada*, cioè picche, niente da fare. Era un pomeriggio calmo, solo verso sera saremmo usciti a caccia di pillole. I ragazzi provavano alle chitarre, Genni si passava lo smalto sulle unghie dei piedi. Io sonnecchiavo in poltrona.

Una chitarra suonava sola. E l'altra, perché si era azzittita? Tra le ciglia socchiuse ho visto Carlito avvicinarsi a Genni, aprirsi la cerniera dei jeans, cacciarsi fuori il pisello e strofinarglielo sulla schiena senza che lei smettesse di fare quello che stava facendo.

Di colpo sono stata sveglia e presente, sebbene paralizzata. Da quello che intravedevo, ma più ancora da quello che sentivo: i suoni storti e singhiozzanti delle corde della chitarra torturate dalle dita di Dillo Boy. Non osavo muovermi, guardare dalla sua parte.

Carlito intanto sollevava il mento a Genni e cominciava a succhiarla rumorosamente in bocca mentre si menava l'affare. Genni ha ruotato i fianchi verso di lui, si è aperta la camicetta sul davanti, si è fatta cascare in fuori le tette e gliele ha offerte. Lui ha cominciato a sgrunfolare leccandogliele tutte. I capezzoli di Genni erano diventati duri, sembravano sul punto di scoppiare. Si è abbandonata all'indietro, lui le ha scostato le mutandine rovistandola sotto, e Genni inarcava sempre più il busto per andare incontro ai suoi movimenti. Finché non è crollata sulle ginocchia con un grido (s'era sbucciata sulle piastrelle) e Carlito ne ha approfittato per infilarle il coso in bocca e adesso era Genni a slinguare, a succhiare e a gemere mentre lui le strizzava i capezzoli e schiumava di ahsh, crashhf, uhmmm.

Dio santo, perché invece di torturare la chitarra Dillo Boy non interveniva? Era la sua ragazza e quel Carlito gliela stava soffiando sotto il naso!

Dovevo avere le guance in fiamme, anche se fingevo disperatamente di dormire. Finalmente, Dillo Boy è entrato nel mio campo visivo. Mi ha guardata per controllare se stavo vedendo. Aveva la faccia scurissima. È andato vicino alla coppia, ha spinto via Carlito, ha preso Genni in braccio, l'ha portata sul materasso, si è coricato sopra di lei e ha cominciato a spingersi fra le sue cosce.

Ho stretto forte le ciglia per non vedere più. Dai rumori, gemiti, sfregolii, gridolini, era evidente che Carlito si era unito a loro.

Non ci capivo niente. Dillo Boy non era geloso? Genni non era innamorata di lui? Cosa c'entrava Carlito? Si poteva farlo così, tutti assieme? L'amore è forse un caucciù che si può tirare da tutte le parti, a piacimento? Io della Graziella, la figlia della Dea dei baci, ero stata gelosissima da subito, fin dai tempi che andavamo all'asilo, dalle suore. Se solo guardava il mio Omero, mi sentivo rimescolare il sangue. Figurarsi se gli offriva una Elah o una Rossana e gli chiedeva di tenerle un capo della corda per saltare!

La stanza risuonava come una pentola in ebollizione. Mi sono chiusa su me stessa, come una margherita al tramonto. Avevo una maledetta fifa che Carlito si facesse venire l'idea di prendermi in mezzo, trascinandomi sul materasso. Dillo Boy l'avrebbe fermato? Oppure per rifarsi dell'umiliazione subita da Genni se la sarebbe presa con me svergognandomi davanti a tutti?

Spiando tra le ciglia socchiuse ho calcolato la distanza fra la poltrona e la porta della cucina. Quattro, cinque metri. Una certa decisione sarebbe bastata per raggiungere la zona salvezza. Potevo sempre dire che andavo al gabinetto. Nessuno mi ha fermata.

Con i gomiti sul davanzale della finestra della cucina, guardavo l'infinita distesa dei tetti di Parigi – chissà quanti altri ragazzi stavano facendo la stessa cosa in quel momento. All'orizzonte, con una nuvoletta per cravatta, tutta sola e silenziosa nel cielo altissimo svettava la Tour Eiffel come l'avevo sempre vista nel libro di geografia.

L'immagine di Dillo Boy che andava dentro Genni mi frustava la mente. Era un'immagine di quelle che non ti abbandonano più, ti si incollano in testa di prepotenza. Era sconcertante scoprire quanto mi aveva fatto piacere vederli in quell'atto. Essere esclusa, restare sul bordo della loro unione, mi causava una ferita profonda, dolce come il miele. La Torcia Ardente era la causa di tutto. Separandomi, quella corazza mi faceva desiderare di unirmi agli altri, non a tutti, certo. A qualcuno. Più avrei voluto che sparisse, più mi attaccavo al fatto che ci fosse. Come la metà imputridita e brulicante di vermi del mio cuore che avrei voluto tagliare via nei miei incubi e che invece bisognava curare. Come la forza ineluttabile che mi faceva venire le mani di piombo proprio quando più desideravo fare svelto a pulire il prezzemolo.

Meglio bere qualcosa di caldo. Mi sono messa a preparare un tè.

Stavo cercando la bustina nel pensile quando due braccia nude mi hanno circondato in vita, e due mani si sono chiuse a coppa sui miei seni. Ho abbassato le braccia di colpo. Una tazza è finita in terra, andando in pezzi.

"Ehi, mica sono una vespa!"

Genni. Tutta nuda, con gli stivali di vernice.

"Ragazzi fantastici, eh?"

Raccattavo i cocci. Lei ha infilato l'indice nel vasetto dello zucchero: se lo succhiava, golosa, e mi cercava in fondo agli occhi.

"E tu?"

"Io... cosa?"

I suoi capezzoli erano a cinque centimetri dalle mie labbra. Non mi azzardavo a guardarla in basso.

Lei si è tolta il dito di bocca.

"Se lo fa Anita Pallenberg con Mick Jagger e Keith Richards posso farlo anch'io."

Ha graffiato l'aria con l'indice lustro di saliva.

"Tu ti sfarfalli?"

"C-cosa?"

"Sì, ti sfarfalli, ti tocchi la farfallina, la patata, la topina, la passera, come accidenti la chiamano all'asilo infantile dove stai tu? Insomma: ti fai ditalini?"

"N-no!"

"Ehi, non ti ho mica morso. Ti ho morso?"

"N-nno, no."

"Quindi non ti sfarfalli, niente ditalini."

"No."

"No?! Neanche mezzo?"

"No."

"Come mai?"

"Be', non ci penso..."

"Io ho cominciato a otto anni. Imparavo la bici, quella vetusta di mia madre. Be', non mi scivola il piede sul pedale? Sono caduta a piombo sulla forcella. Mi hanno messo il ghiaccio, vedessi che impacco di Vegetallumina. Mi si era talmente gonfiata che mi sembrava di avere un gatto morto tra le gambe. Spandevo la crema e massaggiavo. Massaggiavo e spandevo. A furia di spandere e massaggiare si è fatta luce. La medicina che faceva passare il dolore non la ordinava il dottore, non la vendevano in farmacia. E potevo prenderne quanta e quando volevo, bastava sfregarsi in mezzo alle gambe. Un miracolo, una magia. Da allora lo faccio tutte le mattine. Se ho le mie cose, uguale. Mi dà la carica, capisci?"

"Sissì."

"Quando vado con uno lo faccio prima di scopare. Mi chiudo un momento in bagno e via. Durante il rapporto sono più libera e distaccata, capisci?, posso controllare la situazione. È ganzo veder venire la gente mentre tu resti lucida. Si imparano un sacco di cose della gente guardandola godere."

"Sicuro."

"Sicuro. Dico, mi prendi in giro?"

Ma... dove sta l'amore in tutto questo?, avrei voluto ribattere. Invece mi sono affrettata a dire: "No, certo che no, ti pare? Ho tutto da imparare da te, Genni".

Lei ha infilato di nuovo l'indice nello zucchero, se l'è rimesso in bocca, valutandomi pensierosa.

"Ti fidi di noi?"

"Certo, sì."

"Sì?"

"Sì."

"Però non vuoi fare sesso. Non la conti giusta. Sei *passée*, tutta perbenino. Neanche ti sfarfalli!"

Non capivo cosa volesse veramente da me, ma una cosa era chiara e mi faceva felice: Dillo Boy non aveva tradito il mio segreto parlandole della Torcia Ardente. Dunque, era un vero amico perché un vero amico non rivela i tuoi segreti. Ho detto a Genni che avevo solo bisogno di tempo, per abituarmi. Certe cose erano del tutto nuove per me. Ad esempio: non avrei mai immaginato che si potesse fare sesso liberamente, come si beve un caffè.

"Guarda, mi fai pena. Svegliati. Scopare è l'unica cosa che sia *qualcosa*. C'è il corpo. Il corpo parla. Devi passarci per capire cos'è!"

Ha dato una schicchera all'acqua saponata nel lavello. Lo schizzo mi ha preso in un occhio, facendomelo bruciare.

"Non puoi startene qui a preparare il tè mentre a pochi metri succede *qualcosa*."

Mi fregavo gli occhi con i pugni chiusi.

"Piantala di frignare: sei insopportabile!"

"Ma mi brucia!"

Era la cosa più insulsa che mi fosse uscita di bocca da quando mettevo insieme le parole.

Genni mi ha puntato l'indice alla tempia.

"Conosci *Absolutely free* di Frank Zappa? L'hai sentita? È grande! È là che bisogna andare. Los Angeles, California. Laggiù non si accontentano di muovere il culo e spassarsela con gli acidi e le canne. Non c'è solo la musica, laggiù. La polizia carica quelli che protestano contro la guerra in Vietnam. Lo sai no, cosa c'è scritto sul dollaro?"

Ho scosso il capo. Non l'avevo neanche mai visto, un dollaro.

"*In God we trust*, confidiamo in Dio. Quale dio? Il loro, ovvio. Per cosa? Per i loro affari, ovvio. Alle loro condizioni, arciovvio. Si sono presentati con le tasche piene di dollari e canzoni da paura e noi gli abbiamo spalancato le braccia. Per fortuna molti ragazzi laggiù hanno aperto gli occhi e la pensano diversamente. Ci sono troppe cose sbagliate nel sistema. Dobbiamo cambiarle. E in fretta. Capisci cosa voglio dire? Ca-li-for-nia! Ca-li-for-nia! Dillo Boy è d'accordo..."

Come fa a essere d'accordo? ho pensato. Quand'è che ne avete parlato? Mentre andavate uno dentro l'altra sul materasso?

"In California mica ci si arriva in autostop. Serve la grana per l'aereo. Devi darci una mano, okkey?" stava dicendo Genni. "E quando la pianti di fare il ghiacciolo sarà meglio per tutti ma soprattutto per te, okkey?"

"Okkey" ho risposto, per farle piacere.

Non credevo a una parola sulla California. Dillo Boy voleva andare a Londra, con me.

Questo aveva detto.

5.

TORTE CHE FANNO RIDERE

Uno che mangia carne
vuole mettere qualcosa sotto i denti.
Uno che non mangia carne
vuole mettere sotto i denti qualcos'altro.
Se questi pensieri ti interessano anche solo
per un attimo sei perduto.

LEONARD COHEN

Fatica sprecata cercare di convincere Dillo Boy a vedere la luce del mattino per salire sulla Tour Eiffel. Meglio darmi da fare con le torte. Le cuocevamo io e Genni, nel primo pomeriggio. Ne vendevamo anche dieci al giorno: andavano a ruba anche se erano care perché facevano ridere. Facevano pure passare il freddo. Erano crostate con marmellata di ribes, fichi, pesche. Impastate con uova, zucchero, burro, farina, panetti di hascisc e foglie sbriciolate di marijuana che Dillo Boy aveva fatto essiccare tutta la notte sotto la lampada, su un foglio di giornale.

Adesso che non mi veniva più la nausea a mangiarle, facevano ridere anche me. Ma bastava nominare la California perché tornassi seria.

Subito dopo averle vendute ci trovavamo al Carillon, la cantina-pub di Jan Nuis, un tizio che aveva girato il mondo in lungo e in largo, parlava un sacco di lingue e diceva di essere stato nella Legione straniera. Genni ci aveva messo sopra gli occhi. Voleva convincerlo a farci suonare nel suo locale.

"'Fanculo tutto!" si torturava, incapace di ottenere un sì definitivo da Jan Nuis.

Ogni sera gente dei bassifondi, ubriaconi, scappati di casa con l'adrenalina in corpo, sporchi e maleducati dormivano ammassati sul materasso di casa. Io: sulla poltrona. Da quella volta di Carlito le cose erano precipitate. Adesso Dillo Boy andava con tutte e tutti, sempre senza mutande, sempre strafatto e malmostoso, sempre cattivo. L'incantesimo fra loro si era rotto, ma a Genni non fregava niente, lei non era gelosa. Stava sempre a sbaciucchiare qualcuno e io cercavo di essere discreta, di non far sentire la mia presenza. Se mi scappava qualcosa di mano, un oggetto qualsiasi, una tazza, una pipa per spinelli, la testa di Dillo Boy spuntava da sopra una spalla, dietro un sedere. Il suo sguardo di disapprovazione mi feriva sempre.

Lasciavo perdere quello che stavo facendo e andavo a guardare cosa succedeva in strada. Non riuscivo mai a stare da sola con Dillo Boy per chiedergli con calma della California. Forse voleva andarci davvero: di Londra ormai non se ne parlava più.

Una sera Dillo Boy e Genni non sono rientrati e il giorno dopo avevano un'aria complice e misteriosa che mi ha gelato il sangue: sarebbero partiti per la California senza di me? È riaffiorata una paura antica, una paura generale, indistinta, di tutto e tutti.

Alcune sere dopo sono rimasta ad aspettarli alla finestra in preda all'angoscia. Era nuvoloso, come sempre, ma c'era vento e, all'improvviso, bucando le nuvole, è apparsa la Tour Eiffel. Ho preso la scatola di latta dove Dillo Boy teneva la roba. Mi sono sporta dal davanzale della finestra e l'ho lasciata cadere di sotto. Non l'ho nemmeno sentita colpire il selciato. La paura è passata come per incanto. Mi sono acciambellata sulla poltrona e mi sono addormentata.

Mi ha svegliata Dillo Boy, verso l'alba. Girava nudo come un verme buttando tutto per aria in cerca della scatola. Per un po' ho fatto finta di niente: mi sono messa a frugare insieme con lui; ma poi, vedendo che aveva la pelle verdastra e la bava bianca agli angoli della bocca, sono corsa in strada. Ho visto subito la scatola: vuota e spalancata accanto a un tombino, con una vistosa ammaccatura sul coperchio.

Dillo Boy non mi ha chiesto spiegazioni. La mia espressione colpevole e avvilita era più eloquente di mille parole. Nel momento in cui gliel'ho tesa, mi ha mollato un gran ceffone. Mentre giravo sui tacchi, con la coda dell'occhio ho visto che Genni era sveglia e ci guardava.

Mi sono rifugiata in bagno. Non volevo piangere, la guancia mi pizzicava, sulla pelle erano stampate le cinque dita di Dillo Boy. Non era possibile chiudere quella dannata porta perché qualche furbone aveva gettato via la chiave. Loro non la chiudevano neanche per fare i bisogni. Quando la usavo io ci mettevo davanti una sedia. La sedia è andata giù. Genni mi è venuta vicino. La sua figura mi sovrastava nello specchio a muro, sparivo dentro di lei.

"Fortuna che avevo un po' di roba di riserva" mi ha detto.

Mi ha passato i polpastrelli sul collo, dietro le orecchie.

"Mai fare una cosa simile a uno di noi."

Le sue mani si sono intrufolate sotto la mia maglietta, facendomi venire la pelle d'oca sulla schiena. Mi sono scansata.

"Che hai fatto qui?" mi ha chiesto quando le sue dita hanno incontrato la leggera protuberanza delle cicatrici intorno al mio punto vita.

Le avrei fatto tremila confidenze se solo me lo avesse chiesto.

"Sono di quando facevo il Manichino Vivente" ho risposto.

Mi guardava senza capire, così ho aggiunto: "La moglie di mio padre fa la sarta. Mi usava per le prove".

"Cosa?"

"È che mentre appuntava gli spilli, se non chiacchierava con la cliente, andava dietro alla radio. Non guardava mai dove li infilava."

"Vééhh!" ha fatto lei incredula.

Non mi andava giù che Genni mi prendesse per bugiarda, preferivo pensasse che ero stupida.

"Mi mordevo la lingua, ma stavo zitta e ferma. Non volevo mi dicesse che non ero neanche capace di fare il Manichino Vivente."

"Pazzesco!" ha fatto Genni. "Mi gioco le palle che

qualcuno prima o poi ti stura, così ti sfiammi e diventi come me."

Bang! Colpita. Colpita e affondata. Non potevo crederci. Dillo Boy mi aveva tradita. Gliel'aveva detto. Mi aveva venduta per un po' di roba di riserva. Dunque, era finita, la storia della California era vera. Dillo Boy aveva fatto la sua scelta. Dal momento che aveva deciso di scaricarmi e partire solo con Genni poteva buttarmi alle ortiche per qualche pillola e uno spinello.

"Vuoi dire una sbiellata, come te."

Era l'insulto peggiore che potessi rivolgerle. Per Genni gli sbiellati erano quelli che stavano in famiglia, non quelli come noi. Che qualcuno insinuasse che lei stava dalla parte sbagliata le era intollerabile.

Anch'io non tolleravo più niente. Ero pronta a sputare a raffica mille cattiverie.

Genni si era trascinata Jan Nuis a casa. Credo pensasse che un incontro di gruppo sul materasso l'avrebbe convinto a darci il locale, almeno per una sera. Di canne e pillole neanche parlarne. Jan Nuis veniva da Amsterdam e là i neonati invece del latte succhiavano Lsd. Era arcistufo di quella roba. Diceva di preferire il buon vino e la patonza. Così Dillo Boy è sceso a comprare qualche bottiglia e Genni ha messo sul tavolo una delle nostre torte. L'impasto era a base di olio di oppio, parecchio olio di oppio. Dopo un paio di fette e di bicchieri, e una certa Betty che gli si era messa in collo con addosso solo una T-shirt, Jan Nuis ha cominciato a biascicare. Discorsi assurdi, secondo lui gli incensi che usavamo bruciavano le mucose, da non crederci: i ragazzi andavano a fare la spesa, lavavano i piatti e pulivano casa – e giù a ridere –, voleva convincermi che per vivere nella pianura padana bisogna essere degli sfigati, dal momento che per muoversi in strada con la nebbia si deve avanzare tastando i muri – e giù a ridere. Sul materasso c'è arrivato trasportato a braccia, gettato per traverso e dimenticato, tutto ciancicato e confuso con le magliette e i sacchi a pelo.

"Jan Nuis il Legionario!" l'ha canzonato Genni, sferrandogli calci sugli scarponi, "fottiti nel tuo Dokkum!"

Nessuno aveva idea di cosa fosse Dokkum. Una sperduta landa d'Olanda?

"Quanti anni hai?" mi ha chiesto Jan Nuis il pomeriggio seguente, al risveglio. Lui e Genni sedevano avviliti davanti al bricco del caffè per smorzare il cerchione alla testa. Dillo Boy dormiva sepolto dalla montagna di vestiti. Solo un suo piede sbucava nudo in fondo al letto, sembrava amputato.

Perché gli uomini volevano sempre sapere la mia età?

"Ho mangiato più fette di torta di te ieri sera, e non ho mal di testa!"

"Perché morde, la piccolina?"

Perché questi stronzi hanno deciso di mollarmi e non hanno neanche il coraggio di dirmelo.

Sarebbe stata una buona risposta. Una risposta liberatoria. Ma come sempre quando mi sento rifiutata, non riuscivo a difendermi, a reagire.

Gli occhi di Genni si sono illuminati. Si è strusciata addosso a Jan Nuis bisbigliandogli qualcosa all'orecchio. La bocca di lui si è aperta, la mandibola è scesa giù, e giù è rimasta mentre l'uomo mi fissava con occhi da pesce lesso.

"Provare per credere" ha detto sollecita lei con un sospiro, guardando le nuvole in cielo dalla finestra.

Avrei scommesso che stava pensando a com'era terso e azzurro quello della California.

"Vuoi dire che se le caccio le dita in quel posto le tiro fuori abbrustolite?" E Jan Nuis è scoppiato a ridere.

Ovvio che non ci credeva. Chi ci avrebbe creduto?

Nemmeno Genni ci credeva, anche se, come aveva visto,

mentre gli altri facevano ammucchiate io mi ostinavo a preparare tè.

Jan Nuis faceva le fusa.

"È vero quello che dice?"

Gli brillavano gli occhi.

"Nessuno è riuscito a... insomma, saresti vergine?"

Mi sono stretta nelle spalle.

"Non dirmi che nessuno di questi damerini è stato capace di darti una mano? Hai aspettato tutto questo tempo? Qui ci vuole il vecchio Jan Nuis!"

"E tu ci fai suonare sabato sera nel locale?" Genni Affarista.

"Ci si può chiudere da qualche parte in questa fottuta comune?" ha chiesto lui passandosi la lingua sulle labbra come se avesse la bocca asciutta.

"Sessanta per cento dell'incasso?" Avida Genni.

Cominciavo a vedere il lato utilitaristico della faccenda. In ogni caso avrei avuto da guadagnare. Se la Torcia Ardente si fosse accesa, l'ex legionario si sarebbe incazzato, le sue urla avrebbero fatto schizzare dal letto Dillo Boy che se la sarebbe presa con Genni. Avrebbero litigato e forse lui sarebbe partito con me. In caso contrario sarei stata liberata e, libera, un tempo nuovo sarebbe cominciato.

Ci siamo diretti al bagno.

Jan Nuis ha appoggiato la sedia contro la porta, poi ha alzato le sue zampe su di me. La vampa di calore è montata subito, veloce, fortissima. Dovevo essere impallidita tutt'a un tratto, come una morta. Jan Nuis ha abbassato le zampe.

"Oh Cristo, oh Cristo" mormorava.

"Che succede? Dite qualcosa!" ha strillato da dietro la porta Genni Mastina.

"Shh! Buona!"

Senza sfiorarmi, Jan Nuis ha avvicinato la mano al mio pube con l'espressione concentrata di un medico che ausculti un paziente cardiopatico. Non convinto, circondandomi le spalle con un braccio perché i brividi mi facevano tremolare tutta, mi ha aiutata a divaricare le gambe e ci ha messo

46

sotto la mano. L'ha tirata indietro di scatto. Si è guardato il palmo. Me l'ha mostrato, stupito. Era fortemente arrossato. Ha liberato la porta senza togliermi gli occhi di dosso. Siamo usciti. Ha stretto la mano a Genni.

"Ok. Sessanta per cento."

Mentre lei faceva salti di gioia io li guardavo beota, troppo stupita per protestare. Come mai Jan Nuis aveva accettato? Pensavo solo che sabato sera avremmo guadagnato un sacco di soldi e Dillo Boy sarebbe partito con Genni. Il resto non importava. Tutto si riassumeva nel fatto che non ne potevo più di essere com'ero.

Sono andata sulle scale del condominio a fumarmi una sigaretta.

"Sono completamente suonati" mi ha detto tutto contento Jan Nuis passandomi accanto nell'imboccare le scale. "Hanno per le mani una gallina dalle uova d'oro come te e ti mandano a vendere torte?!"

6.

FATEMI BALLARE

Vogliamo tutto e lo vogliamo subito.

JIM MORRISON

Cosa indossare? Come pettinarsi? Non si parlava d'altro.
I ragazzi sono andati al mercato delle pulci a comprare con-
sunti giubbotti di pelle. Genni e io in profumeria a rifornirci
di parrucche e toupet. In questi casi i capelli devono essere
lunghi e biondi, ha detto lei, con molto trucco e ciglia finte.

Nel vederla su uno scaffale non ho resistito: una Nadia-
Cleopatra versione platino! E Genni ha scelto un toupet della tonalità calda del suo biondo. Con cipria, ciglia finte, rossetto, oltre a parrucca, minigonna, calze a rete e stivali sopra
il ginocchio con tacchi alti facevo un ben strano effetto. Nel
reggiseno imbottito di cotone idrofilo il mio davanzale era
qualcosina: tette vere, di quelle che gli uomini amano pa-
strugnare, io non le avrei avute mai. Neanche le volevo. Non
so cosa volessi. Che venisse presto la mattina in cui saremmo
andati a passeggio lungo la Senna, salire sulla Tour Eiffel per
vedere Parigi dall'alto.

Invece, era scoccata l'ora del Carillon.

Mentre gli altri decidevano dove piazzare gli strumenti e
Genni misurava a grandi passi la piattaforma che fungeva da
palco, Jan Nuis mi ha chiesto di accompagnarlo a prendere
da bere sul retro.

Siamo sbucati in un garage. C'era la sagoma di una macchina coperta con un telo di plastica. Jan Nuis ha fatto volare via il telo. È apparsa una decappottabile rosso fiamma, nuova di zecca, con i sedili di pelle, cruscotto e volante

in legno. Sul portabagagli c'era scritto in lettere d'argento: Triumph Spitfire.

Jan Nuis mi ha fatto segno di salire, di mettermi alla guida.

"Che ne dici? Non è eccezionale?"

Ho appoggiato le mani sul volante.

"Coraggio, non essere timida. È perfetta per te."

Troppo bello presentarmi dai miei amici alla guida di una macchina simile. Chissà che faccia avrebbero fatto! Quanto poteva costare?

"Se sei furba, te la puoi fare nel giro di qualche mese."

Non capivo dove volesse arrivare.

"A me non me ne frega niente se uno è capellone, beat, freak. Se vi lavate poco e vi bombardate di merda. Per me uno può essere suonato quanto gli pare, basta che sappia fare la grana. Sembri una ragazza sveglia, hai una marcia in più, che ti frega delle stronzate? Finché hai in testa la musica e la libertà non farai mai i soldi. A te piacciono i soldi? Sono i soldi che aprono le porte del mondo, non le stronzate, peace and love. Lasciali perdere quelli. Lasciali cantare e strimpellare sulle loro fottute chitarre. Da' retta a Jan Nuis, tu hai un avvenire."

Di colpo stavo scomoda. Ho detto che mi piaceva la musica e anche ballare, tutto qui.

"E chi dice che non devono piacerti la musica e il ballo? È proprio quello che devi fare. Ti metti in sala e balli, ti diverti. Penso a tutto io. Lo sai come siamo noi maschi. Certe situazioni sembrano fatte apposta per farci scatenare. Tu non rischi niente e se qualcuno vince la scommessa ti liberi di una gran rottura di scatole. Che ne dici? Non è una bella idea? Mi prendo, diciamo... il cinquanta per cento? Un'occasione così non capita tutti i giorni. Hai un tesoro in mezzo alle gambe."

Per me Jan Nuis non aveva tutti i sentimenti a posto. Ma sul momento non mi è passato per la testa di contraddirlo. E se per colpa mia non ci avesse più lasciato suonare? In fondo, si trattava di reggere il gioco per una sera sola.

La sala traboccava già di ragazzi urlanti. Genni era supergasata. C'è stata una distribuzione extra di anfetamine. Ho preso tre pillole con una pepsi che già non riuscivo a tenere ferme le mandibole.

"Bambolina!" mi ha detto compiaciuto Jan Nuis strusciandomi e ficcandomi di nascosto un biglietto in mano. Dieci franchi! Quasi trentamila lire! Una cifra da capogiro. Sono andata in bagno. Ho piegato il biglietto sino a farlo diventare piccolo come un francobollo e l'ho infilato in un sacchetto con gli altri miei averi: erba, anfetamine, un pezzo di hascisc e spiccioli, che portavo nelle mutande, assicurato all'elastico con una spilla da balia.

Genni mangiava il microfono, saltava, si sbracciava, indemoniata. Dillo Boy e i ragazzi facevano corpo unico con le chitarre, sbattuti in qua e in là dai suoni come una vela strapazzata da un vento contrario.

Potevo ben dire di aver sepolto Vera Giovanna. La Lisa che ero diventata stava crescendo a vista d'occhio. Per crescere un altro po' non dovevo fare altro che imitare Genni. I suoi non erano movimenti a caso. Come lei stessa mi aveva spiegato, non si trattava di essere semplicemente sinuosa, seducente, sexy. Bisognava comunicare agli altri qualcosa della propria anima, cioè il nostro personale e sonoro no al mondo così com'era fatto.

Jan Nuis stava confabulando con un signore corpulento. Mi ha puntata. Il tizio è venuto verso di me.

Con un balzo sono saltata sul palco e ho cominciato a dimenarmi, prima piano, morta di vergogna, poi sempre più convinta, sfacciata. Genni ha avuto un moto di sorpresa, ha fatto una faccia come per dire: guarda questa!, quindi si è messa a dialogare con me a distanza, ballando. Come un serpente, si avvicinava scuotendo le braccia, i fianchi, veniva a mangiarsi questo topolino che adesso la fissava senza tremare.

Ora agitavamo selvaggiamente il didietro, ci strappavamo

i capelli (tanto erano finti), cacciavamo fuori la lingua, guai-
vamo strusciando le cosce. Genni si sbottonava la camicetta? Io no. Mica ero scema, non avevo molto da mostrare sotto l'imbottitura di cotone idrofilo. Però sembrava che non
avessi fatto altro nella vita che ballare seminuda su un palco
davanti a un pubblico di maschi e maschiacci. Che fossi nata
per quello, visto come li mandavo in visibilio. Che provenis-
si, come quella musica, dai bassifondi.

Il cuore mi batteva furiosamente, non più per paura ora
ma per l'eccitazione. La mia pelle sudata e scintillante sapeva di zolfo, di cloruro, di solfato. Era la prova che ero viva.
Per sentire quell'odore, al paese, mi incidevo la pelle a sangue con il coltello di Omero. Ballando, dal mio ventre si
sprigionavano monachine che salivano a spegnersi in alto,
come la sbarra di ferro che il fabbro metteva sui carboni ar-
denti, e io mi dilatavo immensa, invincibile, onnipotente.

Sotto alla pista, un uomo, insaccato in un cappotto color
cammello, mi fissava.

Lo zio Pale!

Non lo vedevo dall'anno prima, che per me era un seco-
lo. Stavo passando in bicicletta davanti al bar Betura quando
una Millecento targata VA si era fermata sulla piazza accanto
al monumento ai Caduti. Un uomo era sceso stiracchiandosi. L'avevo riconosciuto con un tuffo al cuore: lo zio Pale, il
fratello della mamma Luigina. Dopo il nuovo matrimonio di
papà aveva lasciato il paese per trasferirsi a Laveno portan-
dosi dietro i nonni. Non mi avevano neanche detto addio.
Da quando la mamma si era ammalata ero vissuta da loro.
Abitavano nella stessa strada, proprio di fronte al portone di
casa mia. Ogni volta che rientravo ero obbligata a passarci
davanti. Dovevo violentarmi per non gettare un'occhiata
speranzosa alla loro porta chiusa. Non si era più riaperta, e
la vernice verde che si andava pian piano screpolando intorno alla maniglia mi faceva sentire quanto ero sola.

Perciò quando mi ero accorta che, seduta dietro, c'era
pure la nonna e che il nonno punzecchiava l'asfalto con il
bastone per tastare il terreno prima di uscire, ero quasi sve-

nuta per l'emozione. Venivano per me! Dovevano aver saputo di tutte le cose brutte che succedevano a casa e finalmente erano venuti a prendermi. Gli ero corsa incontro. Il Pale si era girato, nel vedermi aveva fatto una smorfia, come se avesse scoperto una faina nel recinto delle galline. Era risalito in fretta in macchina chiudendo la portiera e il nonno aveva fatto altrettanto. Pedalavo all'impazzata con gli occhi incollati all'auto per non perderla di vista, suonavo il campanello, agitavo le braccia per fargli segno di fermarsi, di aspettarmi.

Macché. La macchina non si era fermata. La nonna non si era nemmeno voltata. Da allora non ci eravamo più visti. Erano invecchiati? stavano bene? mi pensavano qualche volta?

Da dove sbucava adesso il Pale? che ci faceva a Parigi? al Carillon, poi?!

Lui non mi ha sorriso, non mi ha salutata. Ha fatto la stessa brutta smorfia dell'altra volta. La musica e il potere di mandare i maschi in visibilio mi hanno abbandonata tutt'a un tratto. Di colpo non ero più Lisa Torcia Ardente, ma l'antica Vera Giovanna Sironi. Piantata come una scema sul palco del Carillon come allora ero rimasta ferma in mezzo alla strada.

Al posto della faccia del Pale adesso c'erano i suoi capelli. Scappava.

Sono saltata giù dal palco, gli sono corsa dietro. Vicino all'uscita le mani di Jan Nuis si sono tese ad afferrarmi. Ma io ci sono scivolata dentro e poi fuori, neanche fossi un'anguilla.

Parecchi isolati dopo il Pale si è infilato in un alberghetto. Ha detto qualcosa al portiere di notte, che ha preso in mano il telefono mentre lo zio si accendeva una sigaretta. Poco dopo è comparsa la zia Teresa, sua moglie, con le valigie in mano. Mi sono appiattita nella rientranza di un portone non appena ho capito che stavano venendo in strada.

Faceva un freddo terribile, il sudore mi si era gelato addosso, le gambe erano due ghiaccioli negli stivali, non avevo niente per coprirmi. Tremavo come se avessi il ballo di san Vito. Ho preso altre due pillole. Li ho seguiti a distanza ravvicinata, cercando invano in testa una frase, la parola giusta, una scusa per fermarli e parlare. Il Pale guidava la zia Teresa sospingendola per un gomito. Sembrava che fuggissero. Non si sono mai voltati.

Le luci della stazione davano un'effimera sensazione di calore. Ho seguito gli zii fino all'inizio del binario. Un treno per Palermo! Mi sembrava di sentirlo, il Pale, mentre raccontava tutto alla Teresa, a bassa voce, per non farsi sentire dagli altri viaggiatori. Avrebbe esagerato nei particolari per scandalizzarla e lei, stringendosi al suo braccio, avrebbe pensato a quanto era fortunata a non aver deviato dalla retta via.

Mi sono messa a correre lungo il binario perché il treno sarebbe partito da un momento all'altro e dovevo parlare al Pale, spiegarmi. Gli avrei raccontato che avevo un lavoro sicuro, che quello era il gioco di una sera, se voleva non l'avrei giocato più.

Si erano tolti i cappotti e stavano prendendo posto. Lo zio Pale mi ha visto ed è rimasto a bocca aperta. Era davvero buffo con le gote appese e lo sguardo confuso del bambino colto con le dita nella marmellata. Mi è venuto naturale sorridere. La Teresa l'ha tirato per la manica per farlo sedere, ma lui è saltato su ed è corso lungo il corridoio. Mi sono messa a correre sulla banchina verso la porta del vagone per andargli incontro.

Gli stivali mi obbligavano ad ancheggiare, la minigonna mi copriva a malapena le mutande, il rossetto era troppo acceso, la parrucca Nadia-Cleopatra oscillava come un pendolo e i maschi si sporgevano dai finestrini. È partito qualche fischio.

Ed eccolo, il carissimo zio Pale.

"Sei diventata una ragazza di strada. Te la spassi e intanto, per colpa tua, tuo padre sta morendo."

Ho sentito una fitta al petto come una coltellata. Papà! Papà stava morendo! Ero stata io, era colpa mia? Impossibile. Anche se gli avevo fatto la guerra gli volevo bene come a nessun altro, ero pronta a tutto per lui, ora me ne rendevo conto, qualsiasi sacrificio. Persino a restare appesa per sempre al gancio giù in cantina, purché si salvasse.

Ho cercato di afferrarmi alla maniglia per montare sul predellino. Ma il Pale ha tirato a sé la porta, richiudendola con forza. I vagoni hanno ondeggiato, la locomotiva ha lanciato il segnale di partenza. Ho fatto appena in tempo a saltar dentro alla carrozza successiva mentre il treno scivolava in avanti. Ero senza biglietto e senza documenti. Ma avevo i dieci franchi di Jan Nuis. Avrei pagato il biglietto in treno.

Prima della frontiera sarei scesa e avrei continuato in autostop. Per ora dovevo solo stare attenta che il Pale non scoprisse la mia presenza sul treno. Visto come andavano le cose fra noi, per quanto ne sapevo era capace di tirare l'allarme e farmi arrestare.

Il convoglio è uscito dalla stazione. Avevo un gran vento in testa ma contavo sulla riserva di pillole e fumo nascosta nelle mutande per restare lucida. Per qualche ora potevo risparmiare sulle scorte, ne avrei avuto più bisogno l'indomani.

Sono andata alla toilette e sono rimasta a lungo a guardarmi nello specchio. Pensavo all'ultimo incontro con papà. Lui che mi diceva: non mi dai un bacio prima di andartene per sempre? Io che radunavo la saliva in bocca e gli lanciavo uno sputo in piena faccia. Non sapevo quanto male gli avessi fatto, ma ero certa di esserci riuscita. Fino a pochi secondi prima avrei accettato tutte le sue condizioni solo perché aprisse le braccia e mi stringesse al petto. Ma lui non l'aveva fatto. Fra noi non era più questione di perdonarci a vicenda, passando sopra ai rispettivi errori in nome del quieto vivere o di un vivere qualunque. Senza giustizia non può esserci vero perdono. E poiché il perdono fra noi era impossibile, avevo deciso di strapparmi papà dal cuore, di seppellirlo insieme a tutto ciò che amavo.

Il treno era stipato di emigrati e di valigie. Ho trovato posto per miracolo. Ho attaccato discorso con una coppia di anziani mostrandomi supergentile perché il controllore, passando, mi scambiasse per una nipote (anche se un tantino stramba, dato l'abbigliamento) e non si facesse venire pericolose curiosità sul mio conto.

Malgrado l'angoscia per papà, non stavo nella pelle per l'eccitazione di rivedere il paese, casa mia. Quanto mi mancavano!

Ho chiacchierato con i due vecchi. Ho chiesto che mi svegliassero in prossimità di Modane – li ho lasciati che scartavano pacchetti e spilucavano pollo freddo con le dita –, e mi sono abbandonata contro lo schienale, tirandomi la tendina sulla faccia. Per non pensare più a papà, al paese e alla mia gente mi sono concentrata sulla Tour Eiffel. Appena fossi rientrata a Parigi ci sarei salita. La vista della città da quell'altezza doveva mozzare il fiato. E poi sarei andata a Londra, dove c'erano gli autobus a due piani, i predicatori nei parchi, il palazzo reale, i Beatles e i Rolling Stones. Da lì mi sarei imbarcata con Dillo Boy e Genni per la California...

Ma ecco farsi avanti un filare di pioppi e una forra con caramelle Elah e Rossana gorgoglianti invece che acqua; calava una nebbia scintillante come gli addobbi di Natale; in giardino, sull'aiuola delle viole, sbocciavano fogli del "Cittadino" con le mie poesie firmate Vera, ma il cognome, dove le lettere si azzuffavano per accaparrarsi il posto, era illeggibile; mi affannavo sulle scale di casa per raggiungere il mio letto nel sottoscala, ma i gradini si moltiplicavano all'infinito; la bicicletta arrugginita della mamma Luigina danzava su una ruota sola nel cortile sotto la luna piena; l'officina straripava di agnelli belanti; le mie mani affondavano nelle assi della rimessa come nella pelliccia dei conigli, e nella sua cuccia sotto la piallatrice Graffiato inseguiva in sogno qualche gatto sospirando nella segatura e alzando mulinelli proprio mentre papà gli sparava. I proiettili gli trapassavano la testa da parte a parte marchiandogli il pelo di fori con l'alone bruciato, niente sangue, e poi lui mi correva incontro festoso, strattonandomi per un lembo il fiocco tra i capelli, e proprio mentre già gridavo al miracolo, eccolo crollare in terra, ucciso.

7.

MULINI A VENTO

Nel cuore di un tornado
l'aria è quasi immobile.

ANONIMO, su un muro di Milano

Conciata com'ero non era facile che qualcuno mi riconoscesse. Tuttavia, sono scesa dalla corriera nel paese vicino, e gli ultimi due chilometri li ho fatti a piedi. Mi è venuto un nodo alla gola quando ho distinto in lontananza il tetto del Mulino fra i rami scheletrici dei salici e dei pioppi da taglio.

Nessuno in giro, anche le mucche che stavano sempre a pascolare sul prato davanti al caseggiato erano sparite. La grande ruota non girava più, ma l'acqua faceva ancora il suo fracasso gettandosi nella cascata sul retro. Nel portico c'erano tracce di farina e la stanza del forno profumava ancora di pane. Il tavolaccio del mugnaio se ne stava abbandonato in un angolo, pieno di incrostazioni.

Tutto sembrava molto più piccolo di come lo ricordavo. Dipendeva dal fatto che il mio sguardo si era spinto lontano, nel mondo? Comunque, quel posto era sempre il più bello che avessi mai visto, batteva persino la Tour Eiffel. Se avessi avuto il cuore sgombro, con che piacere sarei andata ad accucciarmi sul prato dove il canale Muzza faceva un laghetto, circondato da salici, robinie e siepi di rovi! Quante volte ero stata lì con Graffiato e Omero? Il Mulino e la terra erano stati venduti. Sapevo che il negozio Manzoni con il suo forno moderno e i macchinari che in una notte facevano il triplo del lavoro aveva mandato da tempo in pensione la vecchia ruota. Proprio non riuscivo a immaginare come sarebbe stato quel posto, con palazzine a tre piani.

Al tempo in cui la Maria aveva cancellato gli anni prima di lei rinnovando mobili e stanze, per far restare tutto com'era avevo messo in azione la macchina fotografica incorporata nella mia testa. Non l'avevo fatto solo con casa mia, ma anche con i posti del paese che mi erano cari. Ho chiuso e riaperto gli occhi per confrontare le vecchie foto con il presente. Niente era cambiato. Solo i cespugli di rovi e di ortica avevano guadagnato terreno alla base del muro di cinta, persino sotto il portico e nell'intonaco c'erano larghe chiazze di umido.

Per sapere di papà non era necessario entrare in casa o in officina. Bastava spiare dalla rimessa. E per passare dal cortile senza essere vista dovevo solo aspettare il crepuscolo, quando tutti si sarebbero seduti a tavola per cenare.

All'improvviso, Dillo Boy, i camion, Genni, Parigi, le droghe, la Tour Eiffel, Jan Nuis, il Carillon sono stati inghiottiti da un fondale grigio. Davanti a me si stendeva a macchia d'olio la mia vera realtà. A dispetto del mio nuovo nome, dei vestiti e della parrucca, se l'avessi invocato, il mio idolo, il piè veloce Achille, il figlio di Peleo e Teti, Achille l'invulnerabile, Achille l'irraggiungibile, Achille, il mio eroe preferito, sarebbe sbucato da dietro i tronchi di robinia nella sua splendida armatura per difendermi? Anche se conoscevo parecchi canti a memoria, da quando avevo perso la valigia della mamma Luigina con dentro l'*Iliade* e l'*Eneide* non mi ero più immersa fino alle ginocchia nelle acque dello Scamandro.

Ho camminato lungo il portico, allontanandomi dalla cascata per sentire i rumori della mia campagna. Ho assaporato l'abbaiare lontano di un cane, il muggito delle mucche nelle stalle, il rintocco delle campane per il vespro dal campanile della chiesa grande.

Impossibile che papà stesse morendo!

Un motore sulla strada sterrata. Due fari puntavano decisi verso il Mulino. Di fronte al portico una Seicento ha frenato. Chi stava al volante doveva guardarsi intorno, indeciso sulla direzione da prendere. Poi ha puntato verso di me.

Mi sono accovacciata fra i cespugli. La macchina si è fermata sotto l'arcata del portone d'ingresso chiuso con una catena, spegnendo fari e motore.

La portiera del passeggero si è aperta. È scesa una donna infagottata in un grande scialle. L'avrei riconosciuta tra mille. Lei! La Dea dei baci!

Si è rialzata la gonna sui fianchi, si è accovacciata sul viottolo. Dentro l'abitacolo ha brillato la luce di un fiammifero. Qualcuno si stava accendendo una sigaretta. Il rumore della cascata era un sordo brontolio in sottofondo. Il vento mi portava le voci.

"Sbrigati!" ha detto un uomo.

"Non mettermi fretta, sennò non mi viene" ha ribattuto lei.

Ho preso a strisciare sui gomiti lungo il muro per allontanarmi il più possibile. Il cuore mi pulsava impazzito in gola. Non dubitavo che, vedendomi, la Dea dei baci tentasse di farmi male, come già aveva fatto quel pomeriggio d'agosto gettandomi addosso la verità.

Chi ti credi di essere? Non sei una principessa, Giovanna Si-ro-ni! Non sei figlia del sindaco. Tu sei figlia di Enne Enne!

Era immensa, ancora più grande di come la ricordavo. Mi avrebbe divorata in un sol boccone.

Un pensiero, tutto nuovo e orrendo, mi ha attraversato la mente: e se proprio lei, la Dea, fosse mia madre? Ragiona, mi sono detta, la Dea ha un sacco di figli, li tiene tutti con sé: perché abbandonarne una? E se invece in mezzo alla nidiata avesse riconosciuto in me il brutto anatroccolo, e mi avesse cacciata?

"Ettore, dev'esserci una bestia qua intorno, ho sentito un fruscio..."

"Ce l'ho io la bestia in mezzo alle gambe, spicciati!"

Mi sono appiattita sul terreno, trattenendo il respiro. La portiera si è richiusa. C'è stata una risata soffocata. Ho ripreso a strisciare. Qualcosa ha brillato nell'erba a un centimetro dal mio naso. Una carta di Rossana tutta cianciacata, con la scritta sbiadita e mezzo cancellata. Sapevo benissimo che non ero l'unica in paese a succhiare Rossana. Ma non ho dubitato che fosse una delle mie. Ho premuto le labbra nell'erba per soffocare la gioia. Io e te ci apparteniamo, ho detto alla pianura, siamo fatte della stessa pasta, niente ci separerà. Madri, padri, bestie, anfetamine, Europe, dee incendiarie con o senza nome.

Ho continuato a strisciare fino a raggiungere il bordo del canale, poi mi sono lanciata per i prati. Sembrava che il paese sapesse che sarei arrivata e per dimostrarmi il suo amore avesse voluto restare solo con me. Non c'era un'anima in giro.

Pochi passi dal portone di casa. Ho messo dentro la testa: nessuno. Costeggiando il perimetro del cortile ho raggiunto la rimessa. Il tinello era percorso da sciabolate di luce azzurrina. Se erano a tavola col televisore acceso papà non poteva essere grave. Tuttavia, sudavo freddo.

Una luce si è accesa in officina, riverberando su uno spicchio d'aia. Mi sono schiacciata contro il muro come se potesse aprirsi e io sparirci dentro, in salvo.

Ora il portone si spalancherà per far passare la Millecento di papà e i fari mi prenderanno in pieno, ho pensato in preda al terrore. Invece all'interno è esploso il fragore della sega. Non ero pronta a una cosa del genere. Il primo impulso è stato fuggire. Ma ormai ero come ipnotizzata.

Mi sono avvicinata con circospezione. Papà, proprio lui, stava segando un'asse. Un'onda di felicità mi ha travolta.

Purtroppo lo zio Pale non aveva mentito del tutto: papà non era moribondo, ma malato sì. I capelli gli erano diventati di neve, era così dimagrito che ballava nella vecchia tuta da lavoro.

Ho sentito *io* che spariva da me, come quando lo vedevo insieme alla Maria sorridere a qualcosa che c'era tra loro che non riuscivo a vedere per quanto mi sforzassi. Una cosa più viva e vera di tutto ciò che conoscevo, persino di me stessa.

Sapevo che per togliermi di dosso quella sensazione orribile non c'era che essere punita. Come istupidita sono andata verso la luce. Ormai allo scoperto, vicinissima.

Papà si è bloccato. Ha alzato la testa. Mi ha vista. Anche se ero conciata, mi ha riconosciuta all'istante. Ha corrugato la fronte e un'espressione di sgomento gli si è dipinta in faccia. L'asse che stava segando ha continuato la sua strada, rimbalzando sulla dentellatura del macchinario. Le sue mani l'hanno accompagnata. È stato un attimo. Qualcosa è volato verso di me, colpendomi di striscio sulla coscia. Un tocco leggero, quasi una carezza.

Papà ha alzato la mano destra. Era tutta rossa. Al posto del dito medio c'era uno spazio vuoto.

Ecco cos'era stato: il suo dito. Doveva essere volato da qualche parte, nella segatura.

Papà ha spento la sega.

Io mi sono tuffata a tastare, frugare.

Lui mi sovrastava immobile, digrignando i denti e stringendosi il polso con l'altra mano, pallidissimo. Spandendosi, il sangue gli anneriva la manica della tuta.

"Eccolo, l'ho trovato!" ho farfugliato finalmente, soffocando l'orrore per quella parte di mio padre – tiepida, sporca e inanimata mentre lui era vivo – che afferravo e gli porgevo.

Papà ha preso il dito, se l'è rimesso a posto come se la forza di volontà fosse una colla in grado di riattaccarglielo. Poi si è avviato verso casa. Un paio di volte è stato lì lì per cadere. Ma è rimasto in piedi.

Restavo in ginocchio sulla segatura insanguinata, immersa nel suo profumo mischiato all'odore acre e dolciastro del sangue. Mi sentivo svuotata, solo apparentemente presente a me stessa. In casa gridavano. La Maria, certo. I bambini. Me ne stavo lì, incapace di fare una cosa qualsiasi.

Ed ecco che la porta si è riaperta e papà è riapparso, il braccio avvolto in un asciugamano bianco che già si andava arrossando.

Veniva verso di me e come quando abitavamo ancora insieme ho preso a tremare in tutte le fibre. Ma lui mi ha superata senza guardarmi, come se non ci fossi. È andato alla Millecento. Si è seduto alla guida. Sapevo benissimo dove andava: all'ospedale, sette chilometri. Da solo. Perché la Maria non l'accompagnava? Dove diavolo era il dottor Gandolfi?

Ho aperto la portiera accanto a lui.

"Ci sono io, vengo con te" gli ho detto.

Ti serve un dito? Prendi il mio!

Non ho osato dirglielo, ma non avevo altro in testa, come un disco incantato.

"Lo so cosa fai..." ha balbettato lui, spingendo fuori dalla bocca le parole come massi. "Non sei degna di portare il mio nome... Vattene!"

Mi ha lasciata lì, in piedi come una stupida. Non ha neanche richiuso la portiera. Si è richiusa da sé perché lui ha ingranato la marcia e l'auto è partita a singhiozzo.

Le mie gambe erano di legno. Io tutta ero di legno. Ero l'asse segata caduta fra i trucioli insieme al suo sangue. Ho ingoiato un'altra pillola. Un miracolo guadagnare il giardino, l'aiuola delle viole.

Quando ho riconosciuto l'orto del convento delle Canossiane ho agito d'istinto. Ho ritrovato la porticina nella siepe, dall'orto sono risalita in cortile e dal cortile al refettorio.

La porta era aperta. Per cena doveva esserci stata zuppa di cipolle. Lo stesso odore che avevano le mani della madre Rachele quando mi aveva accarezzato i capelli il giorno che papà era venuto a prendermi per condurmi a casa. *Vieni qui, Giovanna, devo dirti una cosa.* La *cosa* era che la mamma Luigina era morta.

La madre Rachele in persona è comparsa sulla porta della cucina.

"Chi è lei? Chi cerca?..."

È rimasta di sale, con una spugna gocciolante acqua saponata in una mano.

"Oh Signore, Signore!"

Un'onda si è infranta contro le mie orecchie. Tutto è diventato nero.

Era giorno adesso, e stavo distesa in un letto dalle lenzuola immacolate. La parrucca era sul comodino, con un rosario, un bicchiere d'acqua, il mio sacchetto e un messale. La madre Rachele sonnecchiava su una sedia. Ha aperto gli occhi.

"Sei stata dal tuo papà?"

Ho scosso la testa.

"Guarda che ti vuole bene. Mettiti un po' in ordine e poi va' a trovarlo. Sarà contento di vederti..."

Le ho gettato le braccia al collo. Soffocavo i singhiozzi nella sua spalla. Mi afferravo alle sue braccia come uno che sta per annegare. Ha aspettato che mi calmassi, mi ha scostata da sé. Dovevo essere proprio buffa con i capelli dritti e il rimmel che mi impastava la fisionomia se le è venuto da ridere. Sapeva che non sono tipo da prediche. Che sarebbe stato inutile chiedere i perché e i percome. Era troppo intelligente per parlare a vanvera. Mi ha portato il suo sapone e il suo asciugamano ed è rimasta a guardarmi mentre mi sistemavo la parrucca e tutto il resto. Con la madre Rachele non c'era da aver paura a mostrarsi per quello che si è, né a volerle bene. Il mio affetto per lei non doveva essere come la nebbia che unisce le case e i filari dei pioppi: silenzioso, nascosto, inapparente.

"Tocca a te cedere per prima. Va' a trovarlo, non aspetta altro."

Ho scosso la testa.

"Testona che sei! Io adesso devo andare, è l'ora delle preghiere, la superiora mi ha già richiamata due volte."

"Vai, non preoccuparti."

"E tu, figlia mia, che farai, dove andrai?"

Ho guardato il cielo dietro i vetri della finestra. Si sentivano le voci dei bambini che giocavano nel cortile sottostante dove un giorno, da piccole, la Graziella mi aveva rivelato che la pancia delle montagne è piena di pietre preziose. Se Omero non si fosse innamorato di lei, se io, gelosa come una scimmia, non le avessi fermato per dispetto il cerchione della bicicletta che stava facendo correre quel pomeriggio d'estate di tanti anni prima, sua madre, la Dea dei baci, non mi avrebbe mai detto che ero figlia di Enne Enne, un niente, una signorina nessuno. E la mia vita sarebbe stata diversa.

Se... se... se...

"Sta' tranquilla, non è cambiato niente" ha detto la madre Rachele.

Per te, avrei voluto dirle: per me tutto è cambiato, nulla sarà più uguale. Ma ho voltato via la faccia strizzando le ciglia per cacciare indietro le lacrime che mi pungevano gli occhi. Non volevo che la madre Rachele pensasse che il mondo là fuori mi faceva paura.

"Sei sempre tu la cuciniera?" ho chiesto schiarendomi la voce. "Ti fanno sempre lavorare come un mulo?"

Si è stretta nelle spalle.

"Per forza! Ottanta bambini, tutti i giorni, e sono sola."

"Ma ti pagano, almeno?"

"Pagarmi? Cara la mia stella, certo che no. No che non mi pagano. Sono una suora, i miei guadagni vanno al convento."

Si è rialzata la tonaca sulle ginocchia. Me le ha mostrate. Erano gonfie come meloni.

"Mi fanno male a stare tutto il tempo in piedi, ma che posso fare? Offro la sofferenza al Signore."

Mi ha infilato un pezzo di carta in mano chiudendomi sopra la sua, a pugno. Me l'ha guidata in tasca.

"Lo sai che noi suore non possiamo tenere niente, è la regola. Sono ventimila lire. Erano per rifare il manto alla santa Vergine, ma sono certa che lei è più contenta se le do a te..."

Mi ha accompagnata all'uscita. Il parlatorio era identico a sempre. Stessa scrivania e stesso quadro della Beata Cabrini sopra l'architrave.

"Cara la mia Giovanna..."

Solo in quel momento, mentre accompagnava con le mani la chiusura del cancello, ho visto le rughe profonde che le piegavano gli angoli della bocca.

Passando davanti al bar Betura ho sentito esclamazioni, commenti compiaciuti. Qualche avventore doveva essere uscito in strada a guardarmi. Avrebbero mai potuto credere che sotto quella biondina dalla minigonna mozzafiato con gli stivali oltre il ginocchio si nascondesse la vecchia Vera Giovanna Sironi?

Quando avevo barattato la libertà con il ritiro della denuncia contro papà per maltrattamenti, la forza della poesia era con me. Al maresciallo che mi chiedeva come avrei fatto a vivere fuori casa senza un titolo di studio, senza soldi e senza un lavoro, adattando alle mie necessità una frase di Virgilio, avevo risposto: *possum quia posse videor*. Ce la farò perché ci credo.

E avevo voltato pagina.

Al Mulino ho indugiato con la fronte sul tronco di un salice, per essere consolata comunicandogli i miei pensieri più affettuosi, anche quelli che non sapevo di avere. Sono rimasta a lungo abbracciata al fusto, mentre la mia mente si svuotava. Quando ho provato a staccarmi non ci sono riuscita subito. Un ramo basso mi si era impigliato nella parrucca. Come se volesse trattenermi per paura che me ne andassi di nuovo.

Ho scavato a mani nude una buca abbastanza profonda ai piedi dell'albero. Mi sono tolta la parrucca e l'ho sistemata sul fondo. Sono qui, ci sono, continuavo a ripetere, resto con voi, non vi lascio, anche se vado via. Ho ricoperto con la terra smossa. Ho cercato un grosso sasso come lapide.

Ho percorso i due chilometri fino alla provinciale spingendo controvento. Solo che il vento non c'era. Avevo mal di schiena e dolori al basso ventre. Un malessere vago, sconosciuto, una sgradevole sensazione di umido e appiccicaticcio fra le cosce. A un certo punto ho dovuto fermarmi per dare un'occhiata. Due sottili righe rosse mi scorrevano lungo le gambe.

Non avevo niente per tamponare la perdita, così ho raccolto una manciata di foglie, le ho messe una sull'altra per fare spessore e le ho inserite nelle mutande a mo' di pannolino. Pizzicavano.

Quando ho preso posto su una macchina di passaggio ho chiesto all'autista di fermarsi alla toilette del primo rifornimento che avessimo incontrato. Ho rubato una salvietta e l'ho messa al posto delle foglie.

Cara la mia Rachele. Appena in città, con i soldi per il manto della Vergine le avrei comprato un paio di calze di lana. Gliele avrei fatte avvolgere nella carta da regalo più elegante del negozio.

Forse quelle avrebbe potuto tenerle.

8.

TESTE ANNEBBIATE

Spegni la mente, rilassati e segui la corrente.

TIMOTHY LEARY

Invece, in un negozio dove comprare le calze per la madre Rachele non sono proprio entrata. Me ne sono dimenticata.

Volevo dimenticare. Cancellare tutto, persone e cose che mi facevano soffrire, i miei affetti antichi e quelli recenti, in blocco. Ero libera e nessuno mi aspettava. Potevo andare a nord, a sud, a est o a ovest. Dappertutto e da nessuna parte.

Ma non avevo la forza di fare niente. Niente altro che lasciarmi andare dove mi portavano il caso e le macchine. La mia giornata era vuota e dentro ci mettevo quello che arrivava. Percorrevo un centinaio di chilometri verso nord e poi li ripercorrevo verso sud. Qualcuno mi invitava a bere? Andavo. A chi si faceva venire quell'idea parlavo della Torcia Ardente. Prima ridevano, poi mi chiedevano un sacco di particolari. Nessuno mi credeva sulla parola. In genere erano vecchi, dai trenta in su. Per uno che mi prendeva a ceffoni e mi buttava fuori dalla macchina a calci, insulti e spintoni, un altro mi trattava con rispetto misto a timore, mi pagava da mangiare, insisteva perché prendessi qualche soldo.

Preferivo quelli violenti. Con quelli gentili, dentro la mia conchiglia di fuoco mi sentivo sperduta e sola, infinitamente sola.

Dormivo dove faceva meno freddo, nell'andito di un portone, nella sala d'aspetto di una stazione. E sempre, non appena chiudevo gli occhi, il dito mozzato di papà veniva a spaventarmi.

Non è paradossale che siano proprio coloro che più amiamo a farci soffrire? e che siamo noi la rovina di quelli a cui vogliamo più bene?

Una delle leggi più crudeli del nostro mondo è che non possiamo tornare indietro. Non possiamo cambiare niente del passato. Neanche abolirlo. Resta lì a tormentarci, le macchie non vanno via con un colpo di spugna. Le dita recise non tornano a posto, sulla loro mano. E certe parole, una volta dette, diventano muri che non siamo più capaci di abbattere.

Non so se quella che stavo vivendo fosse una vita degna di questo nome. In ogni caso, era la mia. Qualcosa fuori dal tempo, dalle cose e dalla gente, o per meglio dire, sul bordo del tempo, delle cose, della gente.

Non sei degna di portare il mio nome... Vattene!

L'unica libertà che abbiamo è uscire di scena.

Intanto, la mia riserva di pillole e fumo era agli sgoccioli. Sapevo che dovevo occuparmene prima di arrivare a toccare il fondo. L'unico modo per rifornirmi era chiedere a quelli come me. E quelli come me non si incontravano per caso, in strada. Bisognava andare a cercarli ai concerti rock.

Dal finestrino della macchina che mi aveva presa a bordo ho visto l'annuncio di un sabato speciale in una città dove non ero mai stata: Bologna. Ho detto al conducente di portarmici o di farmi scendere. Siccome lui ha protestato che Bologna era alle nostre spalle, lontana più di cento chilometri, cosa ci andavo a fare, ho cominciato a scalciare e a strillare e lui a darmi della matta. Calma calma, gli ho detto che aveva proprio ragione. E anche se a questo punto il tipo non ci capiva più niente, non ha potuto far altro che accostare e lasciarmi scendere. Ho attraversato la strada per fare l'autostop dalla parte opposta.

Ballavo e ridevo, ridevo e ballavo. Da quando avevo sanguinato le mie labbra si erano gonfiate. Ballando con me, i maschi mi fissavano la bocca.

Il concerto dal vivo era finito, adesso si continuava sui dischi. La sala era quasi vuota e nelle mutande non tenevo più franchi ma un sacchetto pieno di anfetamine, benzedrine, metedrine e un paio di boccette di Cardiozol. Avevo fatto l'affare con un tizio che girava con una valigetta piena di pillole arancio vivo. Si era preso tutti i miei franchi ma mi aveva dato una dritta. Per far durare di più lo sballo e avere anche il flash iniziale, bisognava triturare le pillole, mischiarle a qualche goccia di Cardiozol e iniettarsele per endovena. Lui aveva l'occorrente in macchina, e mi avrebbe mostrato come fare alla chiusura del locale, se lo aspettavo.

Certo che l'ho aspettato.

Ha parcheggiato sotto un cavalcavia della tangenziale.

"Che ti fa?"

"Ti fa sballare. Spegne la luce e il tuo uccello canta."

Era quello di cui avevo bisogno. Sentire un uccello cantare, dormire un po' e non vedere più il dito mozzato di papà.

Ha estratto l'occorrente dal cassetto della Giulia metallizzata. "Hai paura delle iniezioni?" Non ha aspettato la risposta. "Succede, la prima volta, ma passa subito, appena entri in paradiso."

Ha avvolto un paio di pillole in un fazzoletto, si è sfilato uno stivale, ci ha picchiato sopra con il tacco per sbriciolarle, ha messo la polvere su un cucchiaino, ha aggiunto una due tre... dieci gocce di Cardiozol. Ha mescolato per far sciogliere la mistura, ha appallottolato una mollica di cotone idrofilo e l'ha messa nel cucchiaino.

"Per filtrare" ha spiegato. "Fallo un paio di volte, il liquido deve essere trasparente."

Ha aspirato. Ha alzato la siringa e ha spinto lo stantuffo per far uscire l'aria. Alla fioca luce del tettuccio il liquido era una danza di pulviscolo.

"Tira su la manica. È un pizzico quando passa la pelle, in vena non senti niente."

"Ahia! Mi fai male!"

"Ferma! È andata."

È andata. È stata quella parola a spaventarmi definitivamente? a terrorizzarmi, insieme alla cosa che mi stava succedendo dentro?

"Accidenti, cosa mi succede, non è come le altre volte, è strana, mi tira la mascella, ehi, fa' qualcosa, non mi va, è roba strana ti dico, ho una farmacia in bocca, non mi piace..."

"Rilassati, goditi il flash..."

Una palla di gomma in fuga su un corridoio pieno di porte, ecco cos'ero, e andavo a sbattere contro tutte: una dopo l'altra a velocità pazzesca. Nessuna si apriva.

"Non è bello... il cuore... corre... sale... viene fuori, senti, ho paura ti dico... la gola... gagth... mamma, papà, ho paura, Dio... perché... l'ho fatto... stupida... papà, mamma... aiutami... ti prego!"

"Oh, piantala, ma che cazzo..."

"Ho male... freddo... non respiro... aiuto..."

"Giù! Esci! Giù!"

Mi ha afferrata per la gola.

"Vvdd.... brrr, non tirarmi così... mi fai male... brrr, che vuoi fare? No, non lasciarmi qui, è buio, vvdd... Oddio, non andartene, un dottore, ti prego, chiama un dottore, non andartene! Torna qui!"

Brrr, buio, terra, fango, luci, fari, ventate gelide, clacson, fango, buio, terra, luce, clacson, buio... luce.

Frenata, passi in corsa, voci, di uomo, di donna, aiutatemi, non lasciatemi qui, per favore, per favore! Mani, mani sotto le mie ascelle, le ginocchia, strusciavano sull'asfalto, bruciavano. Morbido, caldo, dondolo...don ... doo... loo, un serpente, vischioso, in bocca, spingeva per uscire, freddo, ho freddo, vi prego, le mani, le voci, il cuore, scoppia, freddo, freddo, terra, viscida, fango, mani, ancora mani, mi stringevano, un peso addosso, un corpo addosso, una ragazza, mi stringeva, tremava con me, contro di me, camminavo, camminavo?! Sottobraccio, in piedi, a tentoni, capelli dappertutto, scalini, non posso salire, un tunnel? Lei bisbigliava, bisbigliava, sssh!, mi faceva tutto male, i muscoli come corde d'acciaio, un letto, sdraiati, coperte, pillola tra i denti, amarissima, no, basta pillole, mi teneva la testa ferma, va bene, l'orlo di un bicchiere, bevevo, cercavo di bere, i denti cozzavano, il vetro si rompeva, ero tutta d'amaro e lei mi schiacciava, addosso, ferma, schiacciata, una tenaglia, profumo di mughetto, fresco, pulito, la luce, accendi la luce! Le gambe, non sentivo più le gambe, il cuore cavalcava solitario, non più mio, formiche, nei piedi, in testa, nelle gambe, nelle braccia, in bocca, stlak! Il cuore: s'era fermato, non c'era più, stumpf... stum-pf... ss-ttu-m-pfff... giù, giù... no, riprendeva, giù, sul morbido, andavo giù, cadevo giù, pesante giù... sempre più giù.

Un paio di pantofole con i tacchi alti e un ciuffetto di piume. È la prima cosa che ho visto nella pioggia di luce d'argento che colava sul pavimento. Dietro le tende di pizzo di una finestra sconosciuta, in una stanza sconosciuta, luna piena, alta nel cielo e una ragazza sconosciuta, chiara come lei, acciambellata su una poltrona ai piedi del letto. Abbracciata a un vecchio orso di pezza.

Tutto mi è tornato in mente di colpo come se lo vedessi ora per la prima volta. Il tizio che mi tirava a forza fuori dalla Giulia, lasciandomi sola in pieno flash sotto il cavalcavia della tangenziale, il cuore che saltava in petto come una pallina da ping-pong. Io che scalavo il terrapieno con la bocca piena di fango, scavalcavo il guardrail in cerca di aiuto, la difficoltà di stare in piedi, i fari delle macchine che sciabolavano, i clacson spaventati e canzonatori, le frenate. E l'auto che quasi mi investiva. Non ricordavo altro, salvo la voce di un uomo e di una ragazza, la meravigliosa sensazione del caldo sulla faccia quando mi avevano caricata. Avevo anche vomitato sul sedile e me l'ero fatta sotto.

Avevo su una camicia da notte tre misure più grande. I miei vestiti erano stesi sulla spalliera del letto. Umidi e profumati. La ragazza doveva averli lavati. Grazie mille. Meglio

71

andarsene. Mi si sarebbero asciugati addosso. Un momento: le pillole! le mie pillole! Frugavo sul tavolino sommerso da trucchi e profumi, cercando di non fare rumore.

È caduta una boccetta. Lei si è tirata su stropicciandosi gli occhi, cercando le pantofole con la punta dei piedi.

"Sai che ore sono?" ha detto in tono gaio, accendendo l'abat-jour e prendendo in mano la sveglia dal comodino, "le tre del mattino. Hai dormito ventiquattr'ore! Come stai?"

"Okkey."

"Vuoi andartene?"

La gaiezza era sparita.

"Cosa mi hai dato per farmi riprendere?"

"Tre aspirine."

"Aspirina?!"

"Mia madre è infermiera. Dice che l'aspirina guarisce tutto."

"Uhm..."

"Cerchi questo?"

Ha infilato le dita nella pancia dell'orso, ha tirato fuori il mio sacchetto, facendomelo dondolare sotto il naso.

"Sono loro che ti fanno essere così magra?"

L'ho afferrato. Lunghe, folte chiome biondo svedese. Gambe tornite. La quarta di reggiseno. Non le arrivavo alle spalle. Non sapevo come si chiamava. Non me l'aveva detto. E se me l'aveva detto non me lo ricordavo. E io? Le avevo detto il mio nome? Non ricordavo neanche questo. Difficile che gliel'avessi detto. Quale nome, se non ne avevo più uno? Negli ultimi tempi nessuno era andato oltre gli ehi, tu. Ci siamo, ho pensato, infilando in bocca un'anfetamina. Infatti, ecco che me l'ha chiesto:

"Io sono Nina. Lui è Gimmy. E tu?".

Alle sue spalle, attaccata al muro con un pezzetto di nastro adesivo c'era una foto, ritagliata da un giornale, dei Beatles seduti a gambe incrociate intorno al loro santone indiano e un'altra di George Harrison che suonava il sitar.

"...Sitara."

"Sitara?!..."

Ha lanciato un'occhiata alla fotografia.

"Bello!"

Aveva deciso di prendere per buona la mia bugia.

La mancanza di un occhio dava al peluche un'espressione curiosa. Nina doveva amarlo molto visto che non se lo scollava di dosso.

"Mia madre è indiana" ho aggiunto come spiegazione.

Non avevo mai mentito con tanta naturalezza. Tutto sommato era una bugia che non faceva male a nessuno e chissà, forse questo non sarebbe dispiaciuto alla dea Senzanome.

"Indiana? Ma..."

"Sì, lo so, non le somiglio per niente. Sono tutta mio padre. Comunque, guarda!" Mi sono tirata su una manica. Ho avvicinato l'avambraccio al suo. "Vedi? Ho la pelle scura come lui" ho detto alludendo al santone.

Questo, almeno, era vero. Non mi ero mai accorta che la mia pelle fosse così scura.

9.

ZII AL TELEFONO

Quando sei qui con me
questa stanza non ha più pareti
ma alberi, alberi infiniti.

GINO PAOLI

Sono rimasta a bocca aperta a contemplare il Po, il fiume più lungo d'Italia, che poi era uguale all'Adda, solo molto più ampio, con chiatte di ghiaia che risalivano lentamente la corrente e i pescatori sulle rive che salutavano agitando la mano, dentro una campagna identica alla mia.

Quella era una città dove si conoscevano un po' tutti. La gente si dava sulla voce spostandosi in bicicletta, al rallentatore, come le rare macchine in strada. Ferrara sembrava sempre sul punto di addormentarsi, sbadigliando e stiracchiandosi intorno al duomo e al castello. Un castello vero, con tanto di fossato, ponti levatoi, torri e merli.

I ragazzi che Nina mi ha fatto conoscere guardavano sicuramente la tele, mettevano su l'ultimo 45 giri dei Beach Boys, ma non avevano niente in comune con i capelloni, i mod, i freak. Erano puliti, con i capelli corti, portavano la camicia sotto il pullover e la cintura di finto coccodrillo. Studenti che vivevano in famiglia e mai si sarebbero sporcati con anfetamine, hascisc e acido lisergico. Il loro futuro era scritto dentro i binari.

Avevo cercato di attaccare bottone ricevendo in risposta monosillabi stringati, occhiate sospettose. Mi sentivo più straniera qui che a Parigi. Anche se usavamo le stesse parole, gli stessi verbi, non parlavamo la stessa lingua.

Non era il posto ideale per una ragazza del Mondo Nuovo. Ma sarebbe stato carino, mi stava dicendo Nina, se questa ragazza fosse stata così gentile da portare qualcosa del Mondo Nuovo alla sua nuova amica, smaniosa di conoscerlo.

Volevo?

Nina aveva diciannove anni, viveva con sua madre alle case popolari, era orfana di padre, frequentava una scuola per dattilografe, ci teneva a essere sempre in forma – per questo faceva un sacco di visite mediche ed esami clinici – e non vedeva l'ora di andarsene in una grande città, Milano, ad esempio, se non addirittura Parigi, per fare la modella e l'indossatrice. Mancavano tre mesi alla fine del corso. Se l'aspettavo saremmo partite insieme, magari anche noi per la California. Per il momento mi avrebbe tenuta nascosta in camera sua in attesa di sistemarmi presso qualche zio. Era piena di zii che sarebbero stati ben felici di darmi una mano, ha detto.

Entravamo a notte fonda, di soppiatto. Dal soggiorno veniva il brusio della televisione e la voce di sua madre che lo sovrastava con uno sbilenco ciao, finalmente sei tornata!

Dormire testa piedi in tre in un letto a una piazza non è scomodissimo se due dei tre sono un ragnetto e un orso di pezza, ma non concilia il sonno se gli occupanti sono complici e hanno un sacco di cose piacevoli da raccontarsi.

Non dormivamo affatto. Era talmente bello stare strette strette sotto le coperte, chiacchierando di tutto un po'. Nina voleva sapere della Tour Eiffel e io glielo dicevo, le raccontavo il gran girare, l'autostop, le torte all'hascisc, Dillo Boy e Genni, il locale di Jan Nuis. Parlavo e parlavo, perché mi piaceva sentirla ridere dicendo tutta colpita: davvero?!, e perché ridesse e dicesse: davvero?! in quel modo, credendomi sulla parola, le avrei raccontato che ero stata su Marte. Così, anche non volendo, ho finito per dirle del materasso e lei si è messa a chiedermi i particolari con voce incrinata. Forse si era innamorata di Dillo Boy, perché è rimasta male quando ha saputo che lui era uno dei più attivi nell'amore di gruppo. Non le ho nascosto niente e quello che non sapevo, l'ho inventato.

Solo sulla mia precedente vita al paese e sulla faccenda di Lisa Torcia Ardente ho tenuto la bocca cucita. Potevo parlarle di tutto, a patto che non fossi io la protagonista degli eventi. Temevo il suo giudizio. Che non fosse d'accordo con me e con quello che facevo e mi rifiutasse. Finché le cose non ero io a farle ma gli altri, avevo un certo margine di movimento. Se Nina avesse disapprovato, avrei sempre fatto in tempo a dirle: guarda che io la penso come te, sono stata obbligata ad accettare certe cose, erano miei amici, capisci?

All'alba, ci tiravamo il lenzuolo sul naso e piombavamo nel sonno. Neanche mi accorgevo di cadere dal letto. Mi risvegliavo sul pavimento, la bocca affondata nelle sue pantofole col ciuffo di piume. Qualcuno bussava e ribussava. Sua madre.

"Nina alzati, è tardi, Nina devi andare a scuola, apri!"

Macché. Nina si rigirava nel letto, frignando e stiracchiandosi.

"Nina stai andando sulla cattiva strada, cosa ti succede?"

Radunavo i miei stracci e mi gettavo sotto il letto e da lì la sbirciavo. Era una donna piccola e minuta, non sembrava sua madre, piuttosto una sorella maggiore che si trascinava triste ciabattando per casa, quando non era di turno all'ospedale, come se dentro le si fosse spenta la luce.

"Ninetta mia, brava che ti sei alzata."

"Cretina, non rompere!"

Mi tappavo le orecchie per non sentire come Nina trattava sua madre, chiudevo gli occhi per non vedere il sorriso di scherno che le piegava in giù gli angoli della bocca e la faceva diventare brutta. Seguivo i suoi piedi per la stanza. A seconda di dove si fermava e sostava sapevo cosa stava facendo. Sentivo i suoi pensieri. Accidenti, dov'è il quaderno di steno? Uffa... le sigarette sono finite. Metterò la gonna jeans. Poi il materasso si gonfiava schiacciandomi il naso: Nina si era seduta sul letto per infilarsi le scarpe. Se sentivo sua madre muoversi in cucina, e dunque non c'era pericolo che entrasse in camera, allungavo fuori le mani e l'aiutavo ad allacciarsele.

La sua faccia perfettamente truccata spuntava dietro l'orlo della coperta. Mi arrivavano biscotti, un pezzetto di cioccolato, Gimmy, un ciao sussurrato. La sua bellezza era abbagliante. Non potevo guardarla senza chiedermi come mai nessun principe venisse a reclamarla.

La porta si richiudeva. Sua madre accendeva la radio, io piombavo in una calma piatta da cui mi scuotevano un odore pungente, piacevole e punzecchiature di scopa e spazzolone. Mi appiattivo lungo la parete indurendo i muscoli. Speravo che la madre di Nina, che puliva il pavimento con lo straccio imbevuto di detersivo andando dietro alla radio, non si insospettisse trovando il muro stranamente morbido e sollevasse le coperte per vederci chiaro. Non l'ha mai fatto. Ascoltava i complessi italiani, i Giganti, i Nomadi, i Dik Dik. Nina non se lo sarebbe mai immaginato.

Aspettavo di sentirla trafficare in cucina, mi rivestivo e in punta di piedi, con le scarpe in mano, mi calavo dal davanzale della finestra sul retro. Stavano ristrutturando le case del quartiere. Gli operai facevano colazione su un muretto vicino al marciapiede – già mezzogiorno? –, ormai mi conoscevano e mi salutavano senza più i risolini delle prime volte.

Il sabato sera andavamo in discoteca. Ce n'era più d'una dove venivano a suonare vari gruppi, e, conoscendo il codice, potevi trovarci tutti gli sballanti che volevi. Nina e io eravamo come il miele per i mosconi. Mi scatenavo in pista e gli altri mi facevano spazio. Battevano le mani e io mi sentivo potentissima, felice, avrei potuto fare a meno di qualunque cosa, anche di pillole e fumo, tranne che di Nina. Alla chiusura, in molti facevano a gara a offrirci il passaggio del rientro.

"Dov'è che prendi i soldi per comprare tutti questi bei vestiti? Per non parlare dei trucchi... e delle scarpe, guarda quante ne hai! Non faresti in tempo a sfoggiarle tutte in un mese anche se ne cambiassi un paio al giorno!"

"Faccio collezione. È mio zio che me le regala, il fratello di mia madre. È ricco, sai. Ha un negozio di tessuti a Bologna. Mica mi regala solo scarpe e vestiti. Mi paga anche il corso di dattilografa."

"Aspettami al Cavallino."

"No, vengo con te."

"Non è niente di importante, una visita di controllo."

"Preferisco accompagnarti."

"Tanto non ti faranno entrare."

"Aspetterò fuori."

Piazza del Castello. I portici. Un portone di lusso. Primo, secondo piano. Una targa d'ottone: studio medico Ferrari & Fresi. Un colpo leggero al campanello. La porta si è aperta subito. Un uomo giovane, col camice slacciato, molto distinto, molto elegante. Il dottor Ferrari o il dottor Fresi?

"Lei è Sitara, la mia amica" ha detto in fretta Nina.

E a me: "Aspetta qui, guardati le riviste".

La porta in legno massiccio è scivolata alle loro spalle, da me è caduto il silenzio. Mi sono seduta a sfogliare i giornali. Ma non ne avevo voglia. Era molto più interessante guardarsi intorno. Moquette carta da zucchero, bella spessa. Mobili imponenti, scuri, lucidi. Quadri antichi. Dietro un'altra porta socchiusa due macchine da scrivere e un golfino sulla spalliera di una sedia. Le segretarie erano in pausa pranzo.

La chiave ha girato nella toppa. È entrato un altro signore elegante. Distinto. Se possibile ancora più elegante e distinto del primo. Occhi verdi da gatto mi hanno indagata curiosi, poi un rapido gesto per gettare indietro una banda di capelli folti, dritti e lucidi, un po' lunghi sul collo.

"E tu chi sei, un ragazzo o una ragazza?"

Ero già scattata in piedi. La rivista mi è caduta di mano, sulla moquette. Sentivo di essere arrossita.

"Aspetto Nina... la mia amica" ho balbettato indicando la porta.

L'espressione divertita è sparita dalla faccia dell'uomo. Si è morso un labbro, indeciso. Ha guardato la porta chiusa. Me. La porta chiusa. Vi si è diretto a grandi passi. Ha bussato, imperioso.

"Roberto! È lì dentro?"

Silenzio. L'uomo restava fermo, in attesa. Finalmente, la chiave ha girato nella serratura (non mi ero accorta che avessero chiuso). È entrato, richiudendosela alle spalle.

Subito dopo la porta si è riaperta: occhi di gatto – Ferrari o Fresi? – è uscito seccatissimo, Nina lo seguiva con aria supplice, in lacrime, mentre l'altro si abbottonava nervoso il camice, dietro di loro. Mi sono passati davanti in rapida sequenza senza degnarmi di uno sguardo, neanche Nina. Il primo ha masticato un:

"Intollerabile, qui, in studio!".

L'altro stava zitto.

Nina è tornata indietro. Mi ha strattonato per la manica, spingendomi verso l'uscita.

"Che è successo, perché piangi, che ti hanno fatto?" ruggiva il mio cuore.

"Andiamocene via!" ha sibilato lei. "Stronzo!"

Al Cavallino ci siamo sedute in silenzio una di fronte all'altra.

"Chissà cosa penserai di me, adesso."

"Perché, che devo pensare?"

Doveva credere che non ci stavo con la testa. O che quelle su Parigi e il materasso erano tutte frottole.

"Lo zio, no?"

Già, lo zio. Il dottore. (Ho capito tutto.)

"Ferrari o Fresi?"

"Tutti e due." (Non ho capito niente.)

Ho stretto le mani una sull'altra fino a farmi diventare le nocche bianche.

"Cosa credi? Che sia facile essere poveri? Sentirsi sempre meno degli altri, con tua madre che va a pulire i cessi?" ha preso a dire lei, dura.

(Non mi avevi detto che faceva l'infermiera?)

"Nascondere i rammendi sui polsini, portare i colli rivoltati, avere assegnati i libri di scuola per carità, niente gite con gli altri, d'estate in colonia e a Natale, come regalo, quando va bene ricevere un astuccio nuovo? Non poter uscire la sera come le altre ragazze, mettersi ogni anno i vestiti di quello passato? No, cara mia! Io non voglio finire come lei a fare la schiava, io voglio emergere, farmi strada nella vita. Capisci?"

Non lo so, Nina, non ho idea di come ci si faccia strada nella vita. Ma stavo zitta. Non volevo darle ancora più dispiacere.

Pieni di lacrime, i suoi occhi splendevano. Le ho stretto le mani ghiacciate fra le mie.

"Come si chiama quello che si è arrabbiato?"

"Vito Ferrari."

"È geloso di te?"

"Figurati! È perché io e Fresi l'abbiamo fatto nello studio, alla pausa. Capisci, poteva arrivare una segretaria. Per lui uno può fare quello che vuole, ma nel posto giusto, al momento giusto."

Stavo lì a mordermi un labbro. Le cose sbagliate hanno un momento, un posto giusto?

"Be', non fartelo stare sulle palle. Non lui" mi ha sgridato Nina, accorgendosi che tremavo tutta. "Vito Ferrari non è l'unico zio, ma è quello che amo."

10.

IL NOSTRO PATTO

Ho dormito con te
tutta la notte, mentre
l'oscura terra gira
con i vivi e i morti
e svegliandomi all'improvviso
nella penombra
ti tenevo con un braccio per la vita.
Né la notte né il sonno
ci separarono.

PABLO NERUDA

Gli zii erano più di due: una decina. Quelli fissi. Poi c'erano quelli variabili: mezz'ora, due, tre ore, anche tutta una notte: dipendeva da quanto potevano spendere. Certo non si chiamavano zio. E non davano il numero di telefono. Ma quello del dottor Vito Ferrari – uno dei migliori partiti della città, medico destinato a una brillante carriera – non solo Nina ce l'aveva, ma lo sapeva a memoria. E sapeva persino quello di casa, anche se non avrebbe mai osato chiamarlo lì. Vito Ferrari viveva con i suoi in una villa con un immenso parco di alberi secolari e due persone di servizio, dove una come sua madre – diceva Nina – non sarebbe entrata neanche come pelapatate.

E qui era nata la nostra prima discussione.

"Come fa a piacerti quel matusalemme?"

"Guarda che ha solo trentaquattro anni."

"Potrebbe essere tuo padre."

"Ma l'hai visto bene? Hai guardato i suoi occhi? Non lo trovi fantastico? Ha una grande cultura, è un vero signore, è diverso da tutti gli altri. È ricco, ha lo studio e lavora in ospedale. Però è fidanzato."

"Quell'altro testa di cazzo, come si chiama?, Fresi, anche lui è ricco, ha lo studio, lavora all'ospedale ed è fidanzato?"

"No, non lavora all'ospedale e non è neanche fidanzato. Comunque ne ha trenta, di anni, lui."

"Sempre meglio del primo. Quel Vito Ferrari non mi piace. Ha lo sguardo cattivo."

"E a me non piace Fresi. Uffa, neanche un po'. E tu sei un'ingenua. Ti pare che gente come quella si possa mettere con una come me?"

(Intendeva: non perché gli chiedo soldi per andarci a letto, ma perché vivo alle case popolari e sono figlia di chi sai.)

"Una volta li ho visti insieme. Lui la teneva per un gomito e camminando la sospingeva un passo avanti a sé, come per dire: guardatela bene, è la mia ragazza. Niente da dire, uffa! Quella è proprio una di serie A."

"Per me, non ti pagherebbe mai abbastanza, Nina: tu vali tanto oro quanto pesi."

"Oh, se è per questo Vito mica lo faccio pagare, lui mi piace."

"Brava! Così ti frega due volte!"

Gironzolavo finché i piedi non diventavano ghiaccioli, poi andavo ad aspettare Nina al Cavallino: dove avevo le consumazioni gratis perché gettonavo le canzoni e facevo da attrazione ballando nella sala interna. L'aspettavo fino alla chiusura. Se qualcuno mi chiedeva di lei dicevo che aveva mal di testa: era andata a casa. Avevo la netta sensazione che tutti sapessero benissimo dov'era andata veramente, che mi prendessero per bugiarda. Avrei fatto anche la parte della delinquente se fosse servito a tenere Nina lontana dagli zii con o senza numero di telefono.

È stato nella toilette del Cavallino che, mentre mi ripulivo dopo i bisogni, ho sentito un prurito insistente al pube. C'erano parecchi nei, fra i peli. Non li avevo mai avuti, prima. Grattando con l'unghia, uno è venuto via. Me lo sono messo sul palmo della mano. Sono rimasta come un'idiota quando ha tirato fuori un numero imprecisato di zampette e si è messo a camminare. Sudando freddo sono corsa in sala.

Nina stava giusto entrando.

"Vieni, è importante" le ho ordinato a denti stretti trascinandola al bagno.

Ha preteso di vedere con i suoi occhi. Ho dovuto farmi esaminare con le natiche appoggiate al lavabo. Permetterle di grattarmi con l'unghia tra i peli. L'animaletto ha cominciato a correre sul palmo della sua mano e le è sfuggito un urlo di raccapriccio. Tutta tremante, mi ha chiesto di controllarla. Poi ha cominciato a grattarsi dappertutto, a strapparsi i capelli: era piena.

"Dio, non è vero, togliti, aiuto, mi sento male!"

"Nina, calmati. Sono solo insetti, ci sarà un sistema per mandarli via."

Però, orrore!, mi sentivo zampettare dappertutto.

Siamo andate in farmacia. Nina ha voluto che aspettassi fuori. Guardando attraverso la vetrina ho visto il farmacista prenderle il mento come per sgridarla. Vacca schifa: da quando sapevo della loro esistenza, vedevo zii in ogni maschio adulto. Nel darle la medicina il farmacista deve averle detto qualcosa di sgradevole perché Nina mi ha raggiunta scura in volto. Era uno zio cattivo. Sennò non le avrebbe detto che gli insetti erano piattole, parassiti che succhiano il sangue e amano rintanarsi tra le gambe delle donne sporche dentro e fuori.

"T'immagini se le ho attaccate a *lui*?" Nina era sconvolta. (Si riferiva a Vito Ferrari, ovvio.)

"Pensa se lui le ha attaccate alla sua fidanzata. La ragazza di serie A con le piattole! Che spasso! Perché non potrebbe essere stato uno zio, o lui stesso, ad attaccartele, mica viene solo con te, no?"

Appena a casa, come ogni sera abbiamo messo su un disco per non farci sentire. Come ogni sera sua madre ha gridato a Nina di spegnere e Nina ha fatto finta di niente.

Abbiamo tolto dal letto coperte, lenzuola e federe, le abbiamo ficcate in un sacco. Nina ha distribuito il Mom a pioggia sul materasso: tra le mie cosce, tra le sue, sotto le mie ascelle, sotto le sue. Su Gimmy, sotto e sopra. Una nuvola di borotalco dal profumo acido che ci ha fatto starnutire a raffica. Mi ha fasciato i fianchi con un panno che mi ha stretto in vita con una cintura perché non scendesse. Le ho restituito il favore. Tutte infarinate e fasciate, ci siamo posizionate per la notte. Ho rollato una canna.

"Nina, devi finirla di andare con tutti questi zii!"

Lei non mi ha risposto. Era come assente.

"Accidenti, sembra che abbiamo fatto un incidente e ci abbiano ingessate!" le ho detto ridendo.

Non ha riso con me, era diventata seria. Avevo fatto una battuta: non buona, ma neanche cattiva, accidenti.

"Che c'è, ho detto qualcosa di male?" le ho chiesto.

"Niente, uffa."

La canna non ci ha fatto ridere, complici di ogni scemenza, come al solito. Le ho fatto solletico sotto la pianta dei piedi. Lei li ha scansati e basta. Si è stretta Gimmy al petto e ha spento la luce. Poco dopo, nel silenzio, ho sentito che piangeva. Le ho preso una caviglia fra le mani.

"Nina" ho sussurrato.

Ormai avevo imparato la lezione. Per far parlare Nina dovevo stare zitta, non chiederle niente. Ho lasciato che si sfogasse con la faccia affondata nel cuscino.

"Non vuoi sapere perché piango?" mi ha chiesto finalmente, soffiandosi il naso.

"Perché?"

"Per mio padre. Era un uomo dolce e buono e quella carogna di mia madre gli ha spezzato il cuore. Lo trattava male perché era caduto da un ponteggio, sul lavoro, era diventato invalido, e non poteva più lavorare. Così doveva pensare a tutto lei. Invece di aiutarlo a togliersi il male godeva a metterglielo dentro. L'ha fatto anche con me. Non sai quanto la odio. La odio e la disprezzo."

Le sue parole restavano ad aleggiare cupamente negli angoli bui.

"Solo le donne arrivano a certe crudeltà. Gli uomini saranno stupidi, ma non sono cattivi. Al massimo fanno i loro comodi e se ne fregano. Tanto, se c'è un impiccio, ce la sappiamo sbrigare da sole."

Conoscevo la crudeltà delle donne. Non per niente ero cresciuta con la Maria.

"Anche io e te siamo donne" ho borbottato. "Vuol dire che anche noi siamo crudeli?"

Nessuna risposta. Solo il suo respiro regolare.

Quando la guardavo, alta, bionda, bellissima, piena di febbrili "uffa!" mettere a soqquadro il guardaroba e specchiarsi mille volte – niente era mai adatto se doveva incontrare lo zio preferito –, mi veniva da piangere per quanto era delicata!

Io ero solo un riccio che arrancava su un viottolo di campagna tutto chiuso nella sua fatica e nelle sue spine.

Piano piano Nina mi stava dicendo la verità su di sé. Avrebbe accettato di infilarsi tra i miei aculei per darmi modo di richiuderli sopra di lei e proteggerla?

"Non ti faranno dormire però ti lasciano bella magra le tue pillole," ha detto Nina, spegnendo l'abat-jour, "vorrei essere secca come te. Se non fossi vigliacca ti chiederei di farmele provare" e si è lasciata andare lunga distesa sul letto con un sospiro.

"Tu stai benissimo così Nina, credimi, sei bellissima!" le ho risposto passandole la canna (perché il fumo le piaceva, non le faceva paura come le pillole e ci dava dentro più di me).

"Però non ho le labbra che hai tu, che puoi anche fare a meno del rossetto... Cos'hai da dimenticare per dover prendere tutte quelle pillole?"

"Non *devo* prenderle. Le prendo perché mi piacciono. Mi piacciono e basta."

Non era vero. E non ero riuscita a nascondere la nota falsa nel mio tono.

"Sitara, tu sei nata qui, in Italia?"

"Cosa?"

"Mi hai detto che tua madre è indiana. Dove sei nata?"

"Non mi va di parlarne."

"Perché?"

"Piantala con questi perché. Sei ossessiva!"

"Uffa! Voglio solo sapere qualcosa di te. Non so un cavolo!"

"Non c'è niente da sapere. I miei sono morti. Un incidente stradale quand'ero piccola."

"Mi spiace. Mi spiace tanto. E con chi sei cresciuta?"

"Non tirare le lenzuola: mi scopri!"

"Uffa! Con chi sei cresciuta?"

"Mi hanno preso in casa dei parenti. Non andavamo d'accordo. Appena ho potuto, ho tagliato la corda."

"Tutto qui?"

"Cosa ti aspettavi? La mia è una storia banale, mica come la tua."

"Già."

"Non sei convinta?"

"Perché non volevi dirmela?"

"Senti, guarda, non siamo responsabili degli sbagli dei nostri genitori. Loro non capiscono niente di quello che è veramente importante. Il mondo sta cambiando e il merito è tutto nostro. Alzati!"

Ho acceso l'abat-jour.

"Che vuoi fare? Spegni: mi stai accecando!"

"Ecco, ci metto sopra una maglietta."

"Chiudi l'armadio, uffa! Cosa frughi, cosa cerchi?"

"Una stampella... Eccola... Non ridere, è una cosa seria. Inginocchiati. Con l'autorità conferitami dall'Alta Unione Perfetta... Smetti di ridere, io ti nomino cavaliere Sciù-Sciù. Giuro di proteggerti dai nemici e di non lasciarti mai, per tutta la vita. Adesso tocca a te. Aspetta che mi inginocchio. Avanti, ripeti la formula: con la stessa autorità ti nomino cavaliere Fru-Fru..."

"Ah, ah!... Fru-Fru..."

"Giuro di proteggerti dai nemici e di non lasciarti..."

"Di non lasciarti mai... per tutta la... vita: uffa, mi gira la testa..."

"Mettiti giù, dai, gira anche a me: quanto abbiamo fumato, stasera?"

E mentre l'abbracciavo stringendomi a lei in attesa che la stanza smettesse di fare la trottola, come pegno per il patto d'amicizia ho raccontato a Nina del signor De Sanctis, di quando avevo lasciato che mi mettesse seduta sulla scrivania e del fatto che, dopo una sola volta, non avevo più avuto le mestruazioni. Se dovevo preoccuparmi o cosa. E lei mi ha detto che qualunque cosa avessi fatto sarebbe stata dalla mia parte e per le mestruazioni non dovevo preoccuparmi, era capitato anche a lei, dopo la prima volta erano sparite ma poi erano tornate. Abbiamo bisbigliato e ridacchiato facendoci prurito e sgambettato cercando di bloccarci a vicenda le mani, e sembrava che il pavimento fosse diventato un mare ondoso con noi dentro, sbatacchiate in qua e in là, strette una all'altra dentro una fragile barchetta.

"Fallo per me, ti prego, cavaliere Fru-Fru."

"Sei tutta sudata, hai le labbra tirate, le occhiaie..."

"Credo di avere la febbre."

"Va bene, stai calma: dove sono le aspirine?"

"Non me ne frega niente delle aspirine. Va' da lui. Vacci Fru-Fru, ti prego. Da quando ti ha vista mi dà il tormento. Mi chiede sempre di te, vuole incontrarti."

"Sto bene, non ho bisogno del dottore io!"

"Non mi fai ridere, sai? Mi fai solo aumentare la febbre."

"È assurdo Nina, non ci so fare in queste cose."

"Sei l'unica di cui non sarei gelosa. Tu sei il mio cavaliere Fru-Fru. Non cercheresti mai di portarmelo via. Con te la cosa resta in famiglia. Fallo per me, ti prego! Ti costa tanto? Eppure, a Parigi..."

"Cosa c'entra Parigi. A Parigi eravamo tutti ragazzi e nessuno pagava."

Subito mi sono pentita di averlo detto. Con che tono sprezzante, poi! Avrei voluto prendermi a sberle. E da che pulpito veniva la predica. Non avevo forse fatto un patto analogo con Jan Nuis? Senza l'incontro fortuito con il Pale, non l'avrei forse messo in pratica? Per un momento, per farmi perdonare, ho pensato di dirle della Torcia Ardente.

"Sei la mia migliore amica e non ti ho mai chiesto niente!" si lamentava Nina torturando un orecchio a Gimmy.

Non è vero, Sciù-Sciù, non è vero che non mi hai mai chiesto niente, forse a parole, avrei voluto risponderle, ma nei fatti mi hai chiesto tutto. Se resto in questa città è solo perché ci sei tu. Sei la mia sola e unica amica e per te farei qualsiasi cosa.

Nina mi guardava con occhi supplichevoli e in me, sotto sotto, faceva capolino un'idea neanche tanto bislacca: l'occasione era ghiotta. Grazie alla mia Torcia Ardente Vito Ferrari avrebbe fatto una figuraccia come tutti gli altri e io sarei corsa da Nina e le avrei detto: hai visto di chi ti sei innamorata? Non è per niente in gamba il tuo zietto. E le sarebbe passata.

"Tieni!" mi ha detto Nina, ravviandomi i capelli sulla fronte e mettendomi fra le mani una cassetta di Otis Redding.

"Che ci faccio?"

"Per scaldare l'atmosfera. Gli sto facendo conoscere il rhythm'n'blues e comincia a piacergli."

Non mi era mai passato per la testa che esistessero buoni partiti, come i Fresi e i Ferrari. E ragazze di serie A e di serie B. L'idea di un mondo adulto differenziato, con precise categorie di persone in lotta tra loro per una qualche supremazia sociale, non mi toccava. Il mio mondo attuale era fatto dei miei coetanei, amici di Nina: quelli ottusi che disprezzavano la musica beat, più conservatori e conformisti dei loro padri, dai quali bisognava difendersi; quelli che sognavano di vivere come me sulla strada, in completa anarchia, che adoravano Luigi Tenco e le linguacce di Mick Jagger; e gli indecisi: che oscillavano tra Vecchio e Nuovo Mondo in attesa di una spinta per saltare il fosso.

I camionisti e gli automobilisti che mi davano un passaggio non erano che ectoplasmi. Per come la vedevo io, gli adulti veri, le persone con anima e cuore, li avevo perduti per sempre: erano rimasti al paese.

Se Nina non fosse stata innamorata di lui, Vito Ferrari sarebbe stato per me un fantasma come gli altri. Non sarei stata curiosa. Non avrei sentito l'impulso irresistibile di provocarlo, di metterlo alla prova. Semplicemente, non me lo sarei filato. Il fatto che lei lo trovasse seducente e si preparasse con tanta cura per incontrarlo mi irritava e dava a quell'uomo una luminosità morbosa, da luna calante.

11.

QUANTO PESI?

Non chiedermi niente
potrei anche dirti la verità.

BOB DYLAN

Mi aspettava col motore acceso al capolinea degli autobus, fuori città. Sulla sua Jaguar extralusso con i sedili in pelle verde bottiglia. Seduto al volante in guanti e completo grigio ferro con camicia rosa chiaro e cravatta di un grigio appena più tenue. Per come si mostrava sicuro di sé, per i
guanti e per come teneva il volante, mi ha ricordato papà il
giorno che è venuto a prendermi sulla Millecento nuova di
zecca con don Bruno al brefotrofio di Milano, quando ero
scappata di casa per cercare mia madre. Ho avvertito una
leggera nausea, come davanti a un cibo di cui si è ghiotti sapendo che fa male.

È sceso ad aprirmi la portiera. Un tipo simile avrebbe fatto perdere la testa persino a Genni, figurarsi a una provinciale come Nina. Mentre sprofondavo nel morbido sedile,
ho rimpianto di averle dato retta, lasciando il mio sacchetto
nella pancia di Gimmy. Nina mi aveva proibito di portarmelo dietro: *Sennò chissà cosa combini tu!* Comunque, avevo
abbondantemente provveduto: secondo i miei calcoli sarei
rimasta in orbita fino a notte inoltrata.

Visti da fuori dovevamo sembrare una ben strana coppia.
Un uomo con abiti di classe che guidava col mignolo una
macchina spettacolare e una ragazzina androgina e stonata,
alta un soldo di cacio, due dita di capelli, un giacchino di
nappa con sotto un bolero di piume di struzzo che lasciava
intravedere il petto nudo e quasi piatto, una minigonna jeans

con borchie di metallo, stivali di vernice, tacchi esagerati. Sigaretta tra le labbra: che il dottor Ferrari mi ha pregato di spegnere e non riaccendere. Ovvio che non gli ho ubbidito. Anzi, appena finita quella me ne sono accesa un'altra: direttamente dal mozzicone. Ho anche allungato i piedi sul cruscotto, con tutti gli stivali. Ragazzina insolente, mi sembrava di sentirgli rodere a mezza bocca. Invece, mi guardava incuriosito, come fossi una specie rara. Per un momento avevo temuto (e sperato) che facesse inversione e mi scaricasse dove mi aveva presa. Invece la macchina filava – 140? 160? 200! Autostrada. Direzione: Bologna.

Sapevo – Nina me l'aveva spiegato per filo e per segno – quello che sarebbe successo: cena in un ristorante panoramico sulla collina di San Luca; ritorno morbido sull'onda di *I can't stop loving you* di Otis Redding; e infine una stradina di campagna. Degli altri zii non mi importava perché a Nina non importava di loro. Ma con tutte le mie forze desideravo che *questo* zio fosse solo una parentesi sbagliata nella sua vita.

Mille volte sono stata lì lì per parlare. Dirgli di riportarmi indietro perché mi erano venute improvvisamente le mie cose. (Bugiarda! Non era vero, e in ogni caso non mi sarei mai sognata di tirare in ballo un argomento tanto intimo con lui.) Raccontargli della Torcia Ardente o stare zitta e sbollentargli il pisello?

Lui non mi aiutava. Mi osservava, gelido e padrone di sé, muto per lunghi tratti: mentre io mi agitavo sul sedile cambiando continuamente posizione come se la mia torcia avesse già scaldato i motori e fossi seduta sulla brace. Non mi calmava neanche immaginare di essere tornata indietro nel tempo, che quello fosse un passaggio qualsiasi, verso un posto qualsiasi (Nina sparita: sparita Ferrara).

Il ristorante era tutto broccati, lampadari, orchestra. Posate e bicchieri per un battaglione. Nel menu c'erano nomi di piatti che non conoscevo. Vito Ferrari mi ha tolto d'impaccio, per sé ha ordinato pesce e insalata. Per me una macedonia.

"Con me non devi fingere, so che non ti piace mangiare" mi ha detto.

Le parole, il tono suadente della voce mi hanno scombussolata. Come faceva a sapere *quella cosa* di me?

Non ricordo di cosa abbiamo parlato. Ricordo solo che ogni tanto Vito Ferrari mi sorrideva e si ravviava i capelli con quel gesto rapido e io non riuscivo a non guardargli le mani, per quanto erano belle. La strada del ritorno è stata nebbia. Ferrara si avvicinava e lui non accennava a rallentare. Mi sentivo di gomma.

Quando ho visto la strada sterrata (la stessa di Nina? Pensarlo mi ha dato una specie di ebbrezza), ho quasi gridato prendila, svolta lì! La Jaguar è scivolata sul viottolo con naturalezza. Due ruggiti del motore e poi silenzio.

Vito Ferrari si è allentato il nodo della cravatta, ha ripiegato una gamba sul sedile, si è messo a fissarmi. Cosa diavolo aspetta?, ho pensato, e gli ho allungato Otis Redding. Lui ha inserito la cassetta nel mangianastri, col volume al minimo. Non me l'aspettavo: che mi chiedesse di me. Voleva sapere perché seguivo Nina come un cagnolino, gli sembravo intelligente, non come le altre: bada bene, Nina è una ragazza fantastica, ma tu sei diversa dalle altre sue amiche (quali?).

"Allora, Sitara, chi sei? E poi questo nome... Si-taa-ra!"

"Cos'è che non va nel mio nome?"

"Suona finto, si sente che è inventato. E gli atteggiamenti da bulletta di periferia..."

"Be', se non ti vado a genio..."

"Smettila di dire stupidaggini. Con quella bocca!" Ha stretto le ginocchia. "Tu lo sai benissimo, del resto, di avere quella bocca..."

Ero irritata. Irritatissima. Quell'uomo, con i soldi, la Jaguar, i bei vestiti, faceva il porco con le ragazze – con Nina! – e nello stesso tempo mi voleva redimere. Possibile che Nina fosse cieca?

"Mi ricordi qualcuno... una ragazza speciale" ha ripreso a dire lui sfilandosi i guanti e mettendoli accuratamente sul cruscotto, uno sopra l'altro, dito contro dito. "Da ragazzino andavo in vacanza con i miei in un piccolo centro, sull'Appennino. La figlia del sindaco... Anna... mi faceva gli occhi dolci. Amava la poesia, i classici, stava sempre con i libri in mano. Sai che le somigli molto?"

(No, non lo so: come potrei saperlo?) "Era tutt'ossa, la bocca carnosa, l'espressione innocente e la pelle scura proprio come te."

Incenerirgli il pisello sarebbe stato il minimo. Quella storia romantica. La figlia del sindaco timida e tutt'ossa, l'agnelletto che amava i libri, la poesia, i classici eccetera. Sembrava la fotocopia di una storia che conoscevo bene: la mia. Persino il nome. Anna, invece di Giovanna. Mancava la parte più interessante: anche questa Anna era stata adottata ed era scappata di casa per cercare la madre? Pure lei aspettava solo di compiere ventun anni per fare i conti con una dea senza nome? Cosa credeva, Vito Ferrari, di fare colpo su di me? Non era mica Omero, tanto meno Dillo Boy, lui. Accidenti, però! Come mai era al corrente di queste cose? Gliele aveva raccontate Nina? Ma io a Nina non avevo detto niente.

Ho girato il pomello della radio per alzare il volume: il basso mi ha fatto vibrare il diaframma. Potevo considerarla la mia prima volta. Sarebbe stato come prendere la purga della nonna. Una tazza d'olio di ricino mischiata a un cucchiaio di rosolio. Chiudi gli occhi, ti pinzi il naso e giù, tutto d'un fiato.

All'attacco!

Sono balzata cavalcioni addosso a Vito Ferrari, gli ho gettato le braccia al collo, ho strofinato la bocca contro la sua. Si era rasato di fresco e profumava di colonia, ho sentito il metallo della cintura dei suoi pantaloni pizzicarmi fra le gambe.

Ho aspettato con il fiato sospeso di sentire le sue mani, fresche da far rabbrividire e l'urlo inevitabile. Ma Vito Ferrari non ha urlato, le sue mani erano sì gelate ma mi respingevano con fermezza, rimettendomi seduta al mio posto.

"Non ti permettere più!" ha sibilato.

La sua fisionomia era tutta scomposta, come se una piccola bomba di collera gli fosse esplosa dentro la faccia. Si è spinto indietro i capelli dalla fronte, sistemato la cravatta e schiaffeggiato i pantaloni per fargli riprendere la piega.

Si è infilato i guanti. Ha rimesso in moto. Ben presto la Jaguar ha riguadagnato la provinciale, fendendo la nebbia.

Mi rendevo a malapena conto di dov'ero. La mia Torcia Ardente si era spenta! Non pensavo ad altro. Quante volte me l'ero augurato? Invece di essere contenta ero confusa, mi sentivo nuda e sperduta, stretta dentro un bozzolo di ghiaccio, battevo i denti senza riuscire a controllarmi. Non sapendo dove mettere gli occhi, fissavo ossessivamente la strada.

Vito Ferrari sembrava perduto nei suoi pensieri. Guidava in silenzio. Alla fermata degli autobus – dove mi aveva presa a bordo – ha accostato.

"Quanto pesi?" mi ha chiesto.

Non lo sapevo. E poi, che c'entrava?

"Ti aspetto qui domani sera. Vieni con lo stomaco vuoto e prendi nota di quanto pesi. Meglio se non dici niente a Nina. Sono sicuro che sai mantenere un segreto. Alle nove. Puntuale, qui."

Mi fissava. Nessuno mi aveva mai guardata in quel modo. La mamma Luigina aveva guardato così la luna, grassa e gonfia come una zucca, quella volta che nel gran vento di marzo eravamo uscite a ritirare il bucato in cortile con un canestro per le mollette e Graffiato ci riportava scodinzolando quelle perdute. Guarda, Giovanna, com'è bella!, aveva sospirato, sai, quando la gente muore va un poco lassù. Aspetta che il Signore la chiami per entrare in paradiso.

Gli occhi di Vito Ferrari non mi lasciavano.

"Sì..." ho sussurrato.

Sono scesa con le gambe molli. Volevo accompagnare la chiusura della portiera, ma lui mi ha afferrata per il polso con la mano guantata.

"So tutto di te, Vera Giovanna Sironi, so chi sei e da dove vieni. Mezza parola e te ne torni al paese con il foglio di via!"

Cosa diavolo stava dicendo? Da chi aveva saputo il mio vero nome?

"Non devi meravigliarti. Io arrivo dappertutto. Sono il tuo dio onnipotente e tu sei la ragazza che cercavo. Ti conosco meglio di te stessa. Ti illudi di essere una pecorella, invece sei un lupo. Dovresti saperlo che non si può andare contro natura. Diventa la mia piccola, la mia pupa... la mia pupattola... la mia Lupattola, e ti farò trovare la vera te stessa."

Le orecchie hanno preso a ronzarmi e mi è tornata in mente quella volta che avevo cercato inutilmente di salvare l'agnello appena nato, il figlio della mia pecora Belinda, che lei si rifiutava di allattare. Di notte, di nascosto da tutti, ero corsa agli stabbi, l'avevo preso e portato nel mio letto. Faceva un freddo terribile e non riuscivo a rianimarlo, sebbene gli soffiassi sul muso e sulle zampe per scaldarlo. Esausta, spaventata, mentre lui moriva, mi ero appisolata senza accorgermene.

Nel dormiveglia, avevo visto il freddo irraggiare dal mio stomaco e, come una immensa ragnatela di ghiaccio, invadere e ricoprire il cortile. Come mai allora le mie mani stavano al calduccio? Era una sensazione meravigliosa, come se le tenessi dentro la bocca di una stufa. Ma non era la bocca di una stufa, erano le budella dell'agnello, il figlio di Belinda. Mi ero scavata la strada nella sua pancia e, muovendo piano le dita, stavo per raggiungere il suo cuore.

Le cose brutte che sono successe possono accadere di nuovo?, mi sono chiesta.

Può darsi, ha risposto una voce dentro di me.

E allora di chi è la colpa?, ho domandato ancora.

Di nessuno, ha risposto la voce.

Be', ho detto io: se la colpa non è di nessuno non c'è da avere paura.

Non si può avere paura se si è innocenti.

12.

PRENDIMI TRA LE TUE BRACCIA

> La crudeltà non è altro che l'energia del-
> l'uomo non ancora corrotta dalla civiltà;
> dunque è una virtù, non un vizio.
>
> DONATIEN-ALPHONSE-FRANÇOIS DE SADE

La Jaguar imboccava il viale di pini marittimi, costeggia-
va la villa chiusa e silenziosa, infilava il garage sotterraneo.
Le serate erano fredde, ma il vento portava dal mare un profumo acerbo di primavera.

Non sono mai salita ai piani superiori: immagino ci fossero le camere da letto. I nostri incontri avvenivano in una tavernetta. Un vasto salone seminterrato, che non ho mai visto
per intero ma solo a spezzoni perché Vito Ferrari usava solo
la parte che serviva: una cucina attrezzata, un tavolo di marmo, sedie, poltrone, un divano. Le finestre avevano inferria-
te e tapparelle sempre abbassate.

L'abito che avrei dovuto indossare aspettava su un manichino. Erano costumi teatrali elaborati, come se uscissero da
una sartoria che lavorava su ordinazione. A Vito Ferrari di
me non interessava quello che interessava i maschi che avevo
conosciuto fin lì. E questo mi metteva in salvo da certe ma-
novre di avvicinamento che avrei trovato insopportabili prima, figurarsi ora che la Torcia Ardente non mi difendeva
più. Lui non mi toccava. Non lo eccitava la mia nudità. Anzi, per come partecipava frenetico alla mia vestizione, sembrava dargli fastidio. Quello che lo esaltava era la rappresen-
tazione di una scena, legata a un abito specifico, strappato,
scomposto e lacerato in alcuni punti corrispondenti a parti
del corpo: i genitali, le natiche, la gola, il petto. Quelle de-
turpazioni sulla stoffa erano il marchio di violenze già avve-

nute, il lasciapassare per altre, nuove, da infliggere non a me ma al personaggio femminile a cui io davo vita. Se cambiava la scena, non mutava il succo della faccenda: davanti a Vito Ferrari doveva esserci una ragazzina indifesa e inerme fissata nell'acme di un dolore, di una perdita, di uno smacco.

Tutto doveva svolgersi in assoluto silenzio, nella massima concentrazione. Se parole venivano usate, non erano libere, ma dettate dal copione.

Perché non mi rifiutavo? Non potevo. Sapevo che sarebbe stata la cosa più sensata da fare, avrei voluto, ma non ci riuscivo. Nina non c'entrava. La questione ormai riguardava solo me. Separandomi da Vito Ferrari, ogni volta mi dicevo che era l'ultima, ma la sera dopo ero di nuovo lì, puntuale, al capolinea degli autobus.

Con addosso quegli strani vestiti perdevo il contatto con la me stessa che cercavo di rafforzare: la mia parte vitale, combattiva e tenace. Tenevo gli occhi bassi: il suo sguardo divorante, che non si scollava dal mio corpo senza mai un contatto fisico, mi metteva un languore allo stomaco. Avevo sempre freddo e cercavo il calore della lampada. Le mie dita lavoravano veloci per annodare un nastro, allacciare bottoncini – le asole erano piccole, ancora cucite per metà e dopo averne allacciati una ventina avevo la fronte imperlata di sudore e le punte delle dita indolenzite.

Vito Ferrari esigeva una vestizione accurata, con gesti lenti, proprio per poter morire d'impazienza. Se sbagliavo un movimento, infilavo un bustino all'incontrario, abbottonavo nell'asola sbagliata, sistemavo un colletto davanti per dietro, lasciavo il pizzo di un polsino dentro la manica, se non capivo al volo quale parte del mio corpo doveva restare nuda, le sue labbra si stiravano e diventavano bianche per la collera. Le prime volte mi spaventavo, pensando che fosse molto, troppo arrabbiato: presto ho capito che quello era invece il suo modo di essere contento.

A volte, dopo una vestizione alquanto laboriosa, con la punta di una forbice si divertiva a scompigliare il mio lavoro, perché ricominciassi da capo. Seguivo i suoi movimenti rigida come uno stoccafisso. Vito Ferrari usava le forbici con la perizia di un barbiere o di un sarto, ma non capivo mai quanto fosse determinato a non farsele sfuggire. Visto da fuori c'era qualcosa di ridicolo in tutto questo, il che rendeva la cosa ancora più inquietante. Proprio non mi veniva da ridere vedendo la lama delle forbici strisciarmi sulla pelle, sapendo cosa mi aspettava dopo.

Non ero una brava attrice, troppo timida, impacciata, ma capivo che il fatto di soffrire per questa mia inadeguatezza aggiungeva piacere al piacere.

Più difficile ancora se il vestito era semplice, lineare. Se comprendeva accessori extra, tipo fasce, corde, bende. Significava che quella sera Vito Ferrari era malinconico, e l'incontro sarebbe avvenuto nel segno dell'angoscia. Mi avrebbe chiesto di parlare di me. Cose che non avevo mai detto a nessuno, neanche a me stessa. Non per tenerle nascoste, ma semplicemente perché non le sapevo. Non le avevo mai sapute o non le sapevo più, che era lo stesso. Prima di dirgliele, intendo. Come un uncino, penetrava in me pescando e riportando alla luce parole, frasi, un intero lessico che avrei voluto restasse sepolto, dimenticato per sempre.

Quando si avvicinava al momento culminante, se avevo la testa libera, mi incappucciava. Credo fosse perché non voleva essere visto. Anche se potevo vederlo benissimo attraverso la trama della stoffa, preferivo chiudere gli occhi. Guardarlo sprofondare nel piacere, dopo che l'avevo lasciato arrivarmi così vicino, mi faceva sentire troppo sola.

Altre volte, in preda alla desolazione, mi legava per i polsi e le caviglie alle gambe del tavolo o del letto, poi si accucciava sul pavimento e cominciava a lamentarsi con parole incomprensibili. Talvolta piangeva, perduto in un dolore tutto suo, incomunicabile. Dovevo stare ferma e muta, come morta, perciò mi legava stretta, mi riempiva la bocca di fazzoletti e me li toglieva un attimo prima che perdessi soavemente conoscenza per leccare goloso le tracce della mia saliva sulla stoffa.

"Sei stata adorabile stasera, Lupattola. Cosa vuoi in regalo?"

"Andare a ballare."

Dopo essere stata con lui avevo addosso una grinta, una carica, un'eccitazione furiosa che dovevo scaricare.

Non mi accompagnava mai nel locale. Mi lasciava una cinquantina di metri prima. Non era posto per uno come lui, la discoteca. Vito Ferrari frequentava i night, dove si recava con gli amici del suo stesso ceto per sfottere le *entraîneuses*, farle ubriacare di illusioni e champagne, per poi portarsene qualcuna da consumare in gruppo nel pied-à-terre dell'uno o dell'altro.

Genni e Dillo Boy sarebbero stati orgogliosi di me vedendo il successo che avevo anche senza chitarra. Tutti mi seguivano ipnotizzati, mi ammiravano, ero la padrona dei cuori. Ballavo provocando, tenendo tutti a distanza con boccacce e sprezzanti allusioni sessuali senza prendere fiato sino all'alba. Sino a quando la mia carica si esauriva. Allora mi abbattevo gonfia di pasticche e alcol fra le braccia di qualcuno sui sedili ribaltati di una macchina, come un vitello a cui hanno appena sparato un chiodo in mezzo alla fronte.

Erano tutti signori De Sanctis o ragazzetti impacciati pieni di brufoli, che mi succhiavano sul collo e mi regalavano tutto quello che gli chiedevo pur di ricevere in cambio un bacio più profondo, una certa carezza o anche soltanto che stessi ferma un momentino. Ma nessuno di loro riempiva in modo adeguato la fenditura aperta in me da Vito Ferrari. Il mio cofanetto restava sigillato. Così come senza apparente motivo si era accesa, sembrava proprio che la mia Torcia Ardente si fosse spenta.

Lasciandosi dietro soltanto fredda cenere.

Nina mi chiedeva esasperata dei miei incontri con Vito Ferrari. Voleva i particolari. Sentivo che non potevo dirle la verità: le avrei dato un dolore inutile. Preferivo restare nel vago, mormorare: non c'è molto da sapere. È gentile, mi porta al ristorante e poi ci fermiamo in macchina da qualche parte. Lo conosci, sai meglio di me come funziona; e tornare con le braccia cariche dei costosi regali che ormai Vito Ferrari mi faceva ogni volta (per Nina, tutti per Nina!): un accendino Dunhill, orecchini di giada, l'ultimo 33 dei Pink Floyd, profumi.

"Non me ne faccio niente dei suoi regali," mi rimproverava Nina, sprezzante, "vorrei solo rivederlo. Da quando si incontra con te non mi chiama più. Non montarti la testa, per lui sei solo un giocattolo nuovo, è viziato e si stuferà presto."

Vito Ferrari mi aveva regalato un quaderno rilegato in velluto verde che si chiudeva con dei lacci di raso. Avrei dovuto annotarvi il mio peso e le sue eventuali variazioni, sempre tendenti al segno meno, mai al più.

Era il primo quaderno che mi capitava tra le mani dopo il *Quaderno Speciale*. Il *Quaderno Speciale* aveva svolto una funzione essenziale: vi depositavo il peso della mia anima. A cosa mi serviva un quaderno dove depositare il peso del mio corpo, se neanche mi accorgevo di averne uno?

"Devi dargli un nome" mi ha detto Vito Ferrari, leggendomi nel pensiero.

"Quale? Non me ne viene in mente nessuno."

"Davvero, Lupattola? sei sicura? Dov'è finito il tuo acume? Che ne dici di *Diario della mia inconsistenza*? Riflettici, e farai passi da gigante" mi ha detto ridacchiando.

Passi da gigante. Verso cosa?

Ho perso il quadernetto quel giorno stesso e mi è sembrata un'assurdità che mi piombasse addosso una cupa tristezza.

"Hai visto i miei guanti?"

No, avevo risposto.

Bugia!, me li ero già messi in tasca.

Nina ha pianto di gioia quando glieli ho dati dicendo che glieli mandava lui per scusarsi del silenzio degli ultimi tempi. Entrambe sapevamo che Vito Ferrari ci teneva tantissimo a quei guanti. Li portava sempre. Erano di pelle color grigio topo.

Nina li ha indossati e si è infilata sotto le coperte. Nella penombra è andata avanti per un bel po' a dire che lei e Vito Ferrari erano al Betty Blue del Lido degli Estensi, avevano cenato a lume di candela e ora ballavano guancia a guancia sulla terrazza del ristorante e avrebbero continuato fino a veder sorgere l'alba sul mare.

Danzavano allacciati, e le coperte si alzavano e si abbassavano, come se una biscia strisciasse fra le lenzuola e Nina balzasse sui talloni per evitarla, mentre le andava incontro con i fianchi, un cuscino sulla faccia per soffocare gli spasimi.

Dopo, ha pianto a lungo, un pianto mesto, silenzioso, e io ho forzato il respiro imprimendogli un ritmo regolare e profondo, per farle intendere che stavo dormendo, mentre ero tutta gelata e ben sveglia, aggrappata al rumore dei camion notturni che, in lontananza, correvano sulla provinciale.

Nuda sulla bilancia.

"Hai mangiato!"

"No!"

"Cos'hai mangiato?"

"Avevo fame."

"Bene, Lupattola, in bagno!"

Vito Ferrari era molto scrupoloso, per lui i dettagli erano tutto. Una bottiglia d'acqua gassata (il gas aiuta) era sempre pronta accanto al lavabo. Prima che fosse vuota, la sostituiva con una piena.

Mi ha accompagnata, mi ha avvicinato il collo della bottiglia alle labbra. Mi ha fatto bere due, tre lunghe sorsate. Poi mi ha fatto piegare la testa sopra il water, ficcandomi l'indice e il medio in gola.

101

Dopo, mi ha asciugato dolcemente una goccia sul mento con una salvietta bordata di pizzo.

"Ora sei euforica e devi essere calmata."

Se la bilancia segnava un etto in meno dopo che lui mi aveva accompagnata in bagno, ricevevo una banconota extra. Ormai ne avevo parecchie, anche se non sapevo cosa farci. Le nascondevo nel cassetto grande dell'armadio di Nina. Non volevo che lei restasse male vedendo quanti soldi mi giravano per le mani.

Una volta che le servivano contanti e avevo fatto il gesto di darle un fascio di banconote dicendole: "Adesso puoi fare a meno degli zii, Sciù-Sciù" mi aveva risposto inviperita: "Non sono più Sciù-Sciù per te, traditrice!".

Qualcos'altro ci divideva: avevo sempre sonno, non mi andava più di stare in giro, la sera non vedevo l'ora di rientrare. Neppure il timore che la madre di Nina potesse scoprirmi riusciva a scuotermi. Nina usciva per andare a scuola e io mi infilavo sotto il letto con i vestiti stretti al petto senza neanche aprire gli occhi. Non mi svegliavo mai del tutto. Quando rincasava, era sempre Nina a scrollarmi con forza.

"Sveglia, Sitara! Ma come, stai ancora dormendo!"

Lentamente, mi obbligavo a prendere contatto con la realtà. Mi sentivo confusamente in colpa per non saper uscire da quella specie di letargo, malgrado le anfetamine e le metedrine. La sonnolenza era più forte di me e se non la combattevo era perché quello stato mi dava un certo sollievo.

Il vestito era immacolato. Attillato, lungo alle caviglie e con una fila interminabile di bottoncini sul davanti. Ci avevo messo un sacco ad allacciarli tutti. Ora mi aderiva al corpo come una seconda pelle. Vito Ferrari ha acceso la lampada nella zona cucina, sparandomi la luce in piena faccia. Mi ha bisbigliato all'orecchio:

"Stasera sono a corto d'idee. Dovrai aiutarmi tu. Pensa, Sitara, fruga nella tua testolina di lupattola e dimmi qualcosa di bello".

"Non so... di quando?"

"Lo sai di quando."

"Non so... di cosa?"

"Fruga, fruga nella tua testolina, Lupattola... Lasciamo stare Sitara e Vera. Loro non ci interessano, per il momento. Concentriamoci su Giovanna... La piccolina muore dalla voglia di raccontarci qualcosa e noi la staremo a sentire."

"Non so. Non ricordo..."

"Sì che ricordi, invece. Qualche bella storia di bestioline come te, ne hai tante tu, Lupattola, sai molte cose sulla natura e gli animali."

"Posso dirti... di Graffiato, di quando ha morso Omero e... di quando Belinda ha avuto gli agnelli..."

"Lupattola, che succede? Vuoi farmi arrabbiare?"

Mi strusciavo le mani sudate sul vestito.

"...Posso dirti dei conigli..."

"Conigli?"

"Gira la lampada, per favore, mi bruciano gli occhi..."

"Non posso. Alle lupattole fa bene avere il cervello in caldo."

"Papà li scuoiava. Li appendeva a testa in giù a un piolo della scala, contro il portone della rimessa..."

"Senti senti, aspetta un momento!"

Vito Ferrari ha frugato in una credenza, ha estratto una grossa fune. È salito sopra una sedia e ne ha fatto passare un capo attraverso un gancio appeso al soffitto. Ha aperto un cassetto della madia, estratto un paio di lunghi coltelli che ha posato sul tavolo.

"Cerca di essere precisa, dimmi bene i particolari, parla lentamente e allungami la caviglia destra."

"Diceva che prima o poi avrei dovuto farlo io, che mi avrebbe insegnato come. Io non volevo. Li conoscevo tutti, i nostri conigli. Li vedevo nascere, gli davo un nome, gli cambiavo il fieno nelle cassette quand'era vecchio... stavano negli stabbi, vicino a quello delle pecore..."

Vito Ferrari ha provato la resistenza del nodo intorno alla caviglia.

"Ora la sinistra."

"Papà gli dava un leggero colpo sulla nuca col taglio della mano. Al coniglio si rovesciavano gli occhi. Guizzava mezzo tramortito e lui lo appendeva per le zampe posteriori a un piolo..."

"Così?"

Vito Ferrari ha dato uno strappo alla corda e io mi sono sentita tirare su per le caviglie. Avevo una certa familiarità con ganci e cantine, ma non a testa in giù. Penzolavo insaccata (Vito Ferrari mi aveva legato l'orlo del vestito alle caviglie) a pochi centimetri da terra e appoggiavo i palmi sul pavimento inarcando la schiena perché avevo paura che mi andasse il sangue alla testa.

"I nodi sono troppo stretti, mi segano!"

"Dunque, precisione. Come faceva? Come lo scuoiava?"

"Per far venire via bene la pelle bisognava strapparla mentre il sangue era ancora in circolo."

"Così?"

Il primo colpo ha squarciato la stoffa del vestito. Il secondo e il terzo mi hanno inciso in profondità. Il bruciore mi ha ammutolita. Vito Ferrari ha afferrato il lembo e ha strappato verso il basso. Aria fredda sulla natica, brividi lungo la schiena.

"Continua!"

"Diceva che non dovevo avere paura del sangue. Mi teneva ferma la testa fra le gambe per farmi vedere bene. La carne luccicava. Fumava. Basta, non ricordo più!"

"Sì che ricordi, *devi* ricordare!"

"La pelle dondolava intorno al collo... lui gli apriva la pancia con un taglio netto."

Sentivo l'umido allargarsi sulla natica sinistra. Il dolore

era un viottolo buio. Cosa c'era laggiù, in fondo, che mi attirava tanto?

"I visceri rotolavano fuori con uno sbuffo caldo di cattivi odori. Dovevo raccogliere pelle e budella a mani nude e correre a gettare tutto nella cisterna... con i gatti selvatici che mi rincorrevano gridando..."

Linee di umido lungo la schiena. Ai lati della mia testa i piedi di Vito Ferrari guizzavano a scatti.

"Fa' uno sforzo, Lupattola, portami in paradiso, dimmi il resto!"

Il bruciore era più forte del ronzio alle orecchie. Ho inarcato la schiena, ho spinto in su la testa nel goffo e inutile tentativo di controllare la situazione.

Vito Ferrari brandiva il coltello in una mano, con l'altra spingeva l'aria come se dovesse tenere a bada un nemico invisibile che lo stava attaccando. I suoi occhi erano lucidissimi e dilatati. Un tic nervoso gli faceva battere le palpebre.

E se avesse perso il controllo? La villa era immersa in un grande, solitario giardino e il lido era deserto. Eravamo in un sotterraneo con le finestre ermeticamente chiuse. Nessuno sapeva che ero lì. A chi sarebbe importato se fossi o meno rimasta al mondo? Solo a Nina. Ma Nina non sarebbe mai riuscita ad appurare la verità, se... se Vito Ferrari mi avesse fatta sparire.

Ho cominciato a dire in fretta.

"Una volta papà mi ha ordinato di andare a prendere un coniglio..."

"Uno?"

"Sì, uno."

"Uno a caso?"

"No..."

Vedevo tutto annebbiato.

"No? E quale?"

"Buffo... il mio preferito. Lo chiamavo così perché camminava saltellando... aveva una zampa più lunga. Gli pendeva fuori dalla gabbia e le galline gli rosicchiavano le unghie..."

"E poi?..."

"Era sempre spaventato. La Maria era incinta, voleva conigli giovani perché fritti sono più buoni..."

La voce mi si strozzava in gola. Il pavimento, la stanza, i mobili, tutto pulsava color ruggine.

"Liberami adesso, basta, non ce la faccio più!"

"E tu gliel'hai portato? Non farti cavare le parole di bocca, Lupattola... Gliel'hai portato?"

I piedi di Vito Ferrari battevano frenetici sul pavimento.

"Gliel'hai portato?"

Ondate di nausea incontrollabile, cuore a mille. Le pupille trafitte da centinaia di spilli.

"Sì, gliel'ho portato! Ho stretto... Buffo... gli ho messo... una mano... sugli occhi perché non vedesse... la scala... gli ho chiesto... perdono..."

"Sciocchina... i conigli... non pensano," ansimava, "non riconoscono le scale... non sanno... perdonare."

Ormai singhiozzavo.

Vito Ferrari vibrava, biascicava, si dimenava.

Qualcosa di fresco e pesante mi ha colpita sulla natica ferita. Una frazione di sollievo. Seguita da un bruciore lancinante, insopportabile. Con la coda dell'occhio ho intravisto la sua mano tuffarsi in un barattolo (non c'era prima!) con una grossa scritta. SALE.

Sale?! Sale!

"Cara, tesoro mio! Io ti perdono... Sì! Sì! Sì..."

Ora vibravamo all'unisono e tutta la mia carne risuonava di onde concentriche di dolore puro mentre io urlavo e urlavo e, in uno spasimo acutissimo, gli affondavo i denti nella coscia più forte che potevo.

Ero sdraiata a pancia sotto sulle sue ginocchia e Vito Ferrari mi lavava via il sale dalle ferite con un batuffolo impregnato di camomilla, mi stendeva sulle escoriazioni tumefatte un abbondante strato di glicerina, dicendomi mille paroline dolci.

"Per qualche giorno sarai obbligata a sederti di traverso su una natica e ogni volta penserai a quanto sei fortunata."

"Non voglio i tuoi soldi" gli ho detto con un filo di voce, guardandogli la coscia dove una corona di macchioline rosse segnava l'arcata superiore dei miei denti. Avevo in bocca il sapore del suo sangue. I nervi scossi. Sapevo confusamente di aver goduto nel morderlo.

Mi sentivo sprofondare e non c'erano sostegni a cui aggrapparmi. Gli avevo permesso di venirmi troppo vicino. Aveva fatto di me la sua complice. Mi aveva inoculato il suo veleno. Come un virus maligno e potente, si sarebbe insediato nelle mie cellule, diventando parte di me.

"D'accordo, niente soldi. Cosa vuoi allora?"

"Voglio che vedi Nina. Devi portarla al Betty Blue, a ballare."

È rimasto con la mano a mezz'aria.

"Visto che oggi sei diventata sino in fondo ciò che sei, d'ora in poi non potrò più negarti nulla. Quando vogliamo farlo?"

Anche se non riuscivo a vederlo, intuivo che si stava leccando i baffi, affilando le unghie. In cuor mio mi stavo già maledicendo per averglielo detto. Avrei dovuto aspettarmelo: prima o poi mi avrebbe proposto di vederci in tre. Ma così!

Era una cosa sbagliata, sbagliatissima. Da evitare a ogni costo.

"Quando vuoi tu" ho detto invece.

13.

DORMIAMO IN TRE

Perché sei venuta, se dovevi andartene?

EMILY DICKINSON

"Dove cavolo l'avrò messa, dove?!"
Nina rovistava frenetica nella matassa di gioielli che aveva sparpagliato sul letto. Cercava una spilla che le aveva regalato lui. Quella mattina aveva bigiato la scuola ed eravamo andate a Bologna in autostop a comprare un vestito nuovo per la sera. Avevamo girato una dozzina di negozi, Nina non riusciva a decidersi. Chiedeva ossessiva il mio parere – ormai lo conosci meglio di me, diceva, cercando di provocarmi. Finalmente aveva scelto un tubino corto di paillette, nero, attillatissimo, molto scollato davanti e dietro, che mi ricordava Genni.
"Eccola!... Me l'agganci, per favore? Come sto?"
"Uno schianto!"
"Be', allora ciao."
"Ti accompagno per un pezzo" ho fatto, cercando di tenere ferma la voce.
Non gliel'avevo detto che sarei andata con loro. Ormai evitavo di parlarle di Vito Ferrari.
Quanto avrei voluto che si ribellasse, che mi mandasse a quel paese, tirando fuori la sua vecchia gelosia invece di trotterellarmi al fianco tutta contenta, come fanno gli agnelli dietro alle madri senza sapere che la porta che si sta aprendo è quella del macello. Dovevo essere suonata se portavo la mia Nina nella tana del lupo. In quella spelonca ero stata gettata proprio da lei, ma con una differenza: lei non ne era

consapevole. Secondo i suoi stessi racconti, di lei Vito Ferrari abusava nel rispetto di usi e costumi sociali. Con Nina il corpo di Vito Ferrari in orgasmo non esalava il fetore dei fiori marci delle cappelle dei cimiteri.

Ma io avevo un piano: avevo triturato due anfe e un Nembutal. Mentre loro due ballavano sulla pista, avrei sciolto la polvere nei drink, le anfe nel prosecco di Nina perché non si stancasse di ballare, il Nembutal nel Margarita di Vito Ferrari. Pazienza se Nina sarebbe rimasta delusa vedendolo crollare addormentato su un divano.

Intanto, per il tragitto avevo preparato un paio di svuotini, soffiando fuori il tabacco da una Marlboro e rimpiazzandolo all'ottanta per cento di afghano nero, aspirato dentro senza far fare neanche una piegolina alla carta delle sigarette. Avevo pressato la mistura col dietro di una matita, spuntato con la forbice la carta in eccesso. Da fuori, non sembravano diverse dalle altre, si potevano fumare in pubblico. Le avrei offerte nel caso fosse stato necessario.

I prati intorno erano ricoperti di una sottile lamina bianca. I tacchi di Nina facevano scoppiettare il ghiaccio sul ciglio erboso a lato della strada. La Jaguar ci aspettava con il motore acceso.

Già due volte lei mi aveva detto torna indietro e io avevo fatto finta di non sentire. Quando ha visto che aprivo lo sportello posteriore e mi infilavo in macchina ha fatto una brutta smorfia.

Da quel momento le cose hanno cominciato ad andare molto in fretta. Vito Ferrari sembrava galvanizzato e si sdilinquiva con Nina in complimenti al limite del ridicolo. Lei era stupita, accavallava le gambe aggiustando la postura dei gomiti, del busto, come se lui, invece di dirle insulsaggini, le stesse chiedendo di sposarlo. Quella non era più la mia Nina, il mio cavaliere Sciù-Sciù *giuro di proteggerti dai nemici e di non lasciarti mai, per tutta la vita*, la ragazza che faceva ballare le coperte di notte, aspirava le canne sino al filtro e mi infarinava con il Mom. Si era trasformata in una scodin-

109

zolante cagnetta in calore. E ora io, seduta in pizzo al sedile dietro di lei, a una spanna dai suoi capelli profumati, morivo di gelosia. Ho tentato di infilarmi tra loro con un paio di battute. La prima è caduta nel vuoto. La seconda è stata accolta da uno sbuffo di scherno di Vito Ferrari e da una risatina nervosa e compiaciuta di Nina.

In macchina c'era un caldo avvolgente e Otis Redding ringhiava *I can't stop loving you*. La Jaguar sfrecciava senza scossoni sulla via del mare. I capelli di Sciù-Sciù mi sfioravano le labbra ogni volta che lei si assestava sul sedile, cosa che faceva di continuo. Ho guardato il mangianastri sul cruscotto. Volevo spegnerlo con un blitz. Sul cassettino accanto al cambio ho visto i guanti. Erano quelli di pelle color grigio topo a cui Vito Ferrari teneva di più, gli stessi che gli avevo rubato per portarli a Nina. Quanto aveva pianto quella notte dopo aver ballato con lui sotto le coperte mentre io, in colpa perché non potevo consolarla, ero rimasta a lungo sveglia ad ascoltare il rumore dei camion sulla provinciale!

Ma allora... si erano incontrati? Perché Nina non me lo aveva detto? Sapeva di noi due? Quante altre cose mi aveva nascosto?

Una vena blu pallido le si era gonfiata sul collo, tenera e palpitante, sotto la pelle candida. Con un balzo, mi sono avventata su di lei per morderla.

Nina ha lanciato uno strillo acutissimo piegando di scatto la testa sulla spalla. Vito Ferrari mi ha urlato con voce secca, tagliente:

"Via, giù! A posto!".

Non ero più un cane al quale si può mettere la catena. Ormai ero un lupo. Vito Ferrari doveva saperlo, era opera sua. Se fossi stata lucida avrei colto con che sottile piacere mi dava l'ordine. La serata cominciava bene, per lui. Ma il mio cielo era nero, il mio cuore gonfio di odio.

Nina cercava di liberarsi spingendomi via con tutte le sue forze, conficcandomi le unghie nella cute, si dibatteva in modo scomposto, le sue lunghe gambe scalciavano dalle parti del volante. La testa mi bruciava ma ero ben decisa a non mollare la presa. Poi di colpo ha ceduto e l'ho sentita strillare no! noooo!

Terrore puro.

Che stava succedendo?

Il tempo di rialzare il capo. Vito Ferrari era una corda tesa con il piede inchiodato sul freno. Il tronco del platano stava precipitando contro la fiancata della Jaguar dal lato mio e di Nina. Le gomme hanno urlato sull'asfalto. Mi sono aggrappata al sedile, abbracciando Nina da dietro per proteggerla, puntando i piedi con quanta forza avevo.

Quanto dura una frazione di secondo nel mondo del terrore?

Un lampo e sono implosa in un vortice buio, una spirale di frastuono, vetri, ferraglia, urti e ancora urti, un corpo rotante, sparato in aria, poi sferzato da rami e frasche, e per ultimo, lavagna su cui veniva passato un cancellino.

Questa volta il mondo è tornato da me sotto forma di tessuto morbido fra le dita. Odore di medicinali in gola. Un soffitto color panna. Due volti di donna incorniciati da cuffie da infermiera, chini su di me.

"Ha aperto gli occhi, chiama il dottore, svelta!"

Le voci delle infermiere mi arrivavano come dal fondo di un tubo. Volevo muovermi ma non ci riuscivo.

"Tranquilla, va tutto bene."

"Nina..." ho bisbigliato.

"Cosa dice?" ha chiesto una.

"Nina... deve essere la ragazza che hanno portato qui con lei" ha risposto l'altra. "Non ha fatto altro che ripetere il suo nome per tre giorni."

Tre giorni? Tre giorni?!

"Do-v'è?" ho mormorato dal fondo del tubo.

"Non agitarti."

"Do-v'è?" ho chiesto ancora con uno sforzo enorme, mi sembrava di spingermi con le braccia fuori dalle sabbie mobili.

"Adesso viene il dottore."

Una flebo gocciava nel tubicino che scendeva e finiva sul dorso della mia mano.

E siccome agitandomi facevo oscillare l'asta della flebo, un'infermiera mi ha bloccato intanto che l'altra premeva il campanello sopra la spalliera del letto. Vito Ferrari è arrivato subito. Indossava il camice, e si muoveva freddo e impersonale, padrone di sé. Ha dato un'indicazione all'infermiera che ha preso ad armeggiare tra i medicinali su un carrello. Mi osservava come si guarda un microbo su un vetrino. Studiava le mie reazioni. Ma io non avevo reazioni, solo una domanda: dov'è Nina? L'infermiera mi si è avvicinata. Aveva in mano una siringa, mi ha scoperto il braccio e ha iniettato. Un'onda calda e piacevole mi ha afferrato la schiena. La donna ci ha lasciato. Vito Ferrari si è schiarito la voce.

"Siamo usciti di strada, la macchina è distrutta ma abbiamo avuto fortuna. Hai battuto la testa, niente di rotto, però sei rimasta addormentata per tre giorni. Come vedi, io non mi sono fatto neanche un graffio."

Non capivo bene le sue parole, avevo la bocca impastata, la testa molle, i pensieri si spezzavano di continuo, uno solo era dritto piantato nella mia mente:

"Ni-na?".

"Nina è stata meno fortunata di noi, non ce l'ha fatta," ha detto Vito Ferrari, col tono di chi non intende aggiungere altro.

Via, via, andare, sparire. Via, cancellare tutto, sparire, sprofondare, non sentire più. Niente più!

"Suvvia, il peggio è passato."

Vito Ferrari si è sdoppiato... No, era un altro dottore che gli si era materializzato accanto. La sua fisionomia mi era familiare. Assomigliava a qualcuno che conoscevo, ma chi?

Ha preso Vito Ferrari sottobraccio, sospingendolo verso la porta mentre gli diceva:

"Liberati di lei. Stai diventando la favola della città".

Si è voltato a guardarmi con un sorriso che gli ha piegato

in giù gli angoli della bocca facendolo diventare brutto di colpo e in quel momento ho capito a chi somigliava: a Nina! Nina! La bocca le si stirava in quel modo quando sbeffeggiava sua madre... Vedevo che erano proprio simili, anzi due gocce d'acqua: stessa fronte, stessi zigomi, stesso biondo dei capelli, stessi occhi!

Sono partita per il mondo dei sogni.

Vito Ferrari è tornato, dietro al primario, insieme al dottore biondo e a un codazzo di infermiere. Un'infermiera gli ha passato la mia cartella. Il primario l'ha scorsa, ha commentato ad alta voce, parole incomprensibili che finivano tutte in xina e idil. Vito Ferrari neanche mi guardava. Io non avevo occhi che per il dottore biondo. Più lo guardavo, più vedevo Nina.

"Un paio di giorni in osservazione e sarai dimessa" ha concluso il primario fissando un punto imprecisato nella mia direzione.

Si è avviato alla porta con il suo seguito.

Per qualche minuto sono rimasta sola a guardare il cielo color panna come il soffitto, appesa a una domanda: chi è quel dottore?

Poi, Vito Ferrari si è di nuovo materializzato accanto al mio letto. Era strano parlargli dalla posizione di paziente. Uno sforzo immenso.

"Quel dottore, il dottore alto, biondo... è Nina sputato..."

"Prendi una stanza all'albergo Italia. Ti cercherò io."

"È identico a lei, è suo... parente?"

Vito Ferrari ha fatto una risatina sarcastica.

"Ma chi, Flavio Contini? Non so, può darsi, ha combinato un sacco di pasticci con le cameriere."

"Chiama il dottor Ferrari, che venga lui, non sappiamo più che fare, non smette di piangere!" ha detto l'infermiera.

"Sta spurgando tutte le schifezze" ha spiegato l'altra. "L'abbiamo lavata dentro e fuori ma ci vuole tempo per disintossicarsi. Basta che quando esce non ricominci. Chissà perché vuole rovinarsi, è ancora una bambina!"

Digrignavo i denti, stringendo in pugno un lembo del lenzuolo intriso di lacrime. La supplicavo tra me e me: Nina, non rispondere più così a tua madre, non sai cosa vuol dire fare la cameriera. Devi stare sempre zitta e mandare giù i bocconi amari. Era giovane come te e si è innamorata. Quel bastardo ha approfittato di lei. Succede a tante, troppo spesso. Ma lei ti ha tenuta. Capisci?, ti ha tenuta, non ti ha abbandonata. È stata grande! Ti ha tirata su da sola, non si è vergognata di te. Corri ad abbracciarla! Oh, Nina, perché mi hai detto tutte quelle bugie su tuo padre, che era un grand'uomo, che era malato eccetera? Tu lo sapevi chi è tuo padre! Un gran bastardo. Un lupo del branco. Per questo ti vergognavi di lui? Per questo ti sei innamorata di Vito Ferrari? E io, perché ti ho mentito sul mio conto? Perché non ti ho parlato della mia mamma fantasma, la dea Senzanome? Cavaliere Sciù-Sciù, perché non ti ho rapita, perché non siamo fuggite insieme in un mondo senza padri, madri e zii? Nina, amore mio, non mi importa se mi hai mentito su di te, su tua madre, su tuo padre, su Vito Ferrari, mi importa solo sapere: perché ci siamo dette tante bugie e le cose vere, quelle importanti, ce le siamo taciute?

Perché quando il gioco si fa sporco piace di più.

Quale gioco? chi parla?

Io, Lupattola. Non mi riconosci?

Visto che parlavo da sola, dovevo essere impazzita.

Il ghiaccio era sparito dalle strade e dai campi, sciolto da una pioviggine insistente. Sotto casa di Nina gli smilzi alberelli di Giuda stavano mettendo i germogli. Davanti al portone mi sono immobilizzata. Mi sembrava che Nina potesse uscire da un momento all'altro. I lavori erano finiti. Con il primo sole il giallo degli intonaci nuovi avrebbe cantato d'allegria.

Cos'ero venuta a fare? A vedere sua madre. Volevo gettarmi ai piedi di quella donna, abbracciarle le ginocchia, supplicarla di perdonarmi. Cercare il sistema di farle trovare prima possibile i soldi nascosti nel cassetto dell'armadio. Erano suoi di diritto. Basta, fare la cameriera. Si sarebbe meravigliata e insospettita per la quantità di banconote, ma avrei saputo inventare una storia credibile per giustificare quella somma.

Adesso che Nina non c'era più come avrebbe potuto continuare a passare lo straccio sul pavimento andando dietro alla radio? Davvero non sapeva che dormivo con sua figlia?

Il portone si è aperto e la madre di Nina è comparsa sulla soglia. Era vestita a lutto, cappotto, guanti, foulard, un ombrello nero al braccio, ma ai piedi portava un paio di sandali estivi di Nina, color rosa salmone, senza calze. Erano più grandi di almeno due numeri, ci ballava dentro. Sembrava non capire che ci facesse lì, né dove stesse andando. Mi ha fissata sgomenta, senza vedermi. Ha farfugliato:

"Cara, sei tu, Nina, la mia bambina?".

Sono corsa da lei a braccia spalancate.

La punta del suo ombrello mi ha infilzata in fronte. La sorpresa, più che il dolore, mi ha tolto il respiro. Boccheggiavo, mentre diventavo una cosa sola con la pioviggine. Fissavo costernata i sandali di Nina che scurivano. Dio, si stavano rovinando!

È accorsa della gente. Lei scalciava spaventata, si dibatteva alla cieca, sempre più debole, frasi spezzate, sconnesse, singhiozzi. Un signore mi ha presa per un braccio.

"La poveretta è impazzita. Ma tu vieni al pronto soccorso. La ferita è profonda, ci vogliono i punti."

Mi sono divincolata e sono fuggita.

La fronte sanguinava appena, ma la testa mi doleva da impazzire. In un altro momento avrei dato qualsiasi cosa per una pillola, un pezzetto di fumo. Adesso non me ne importava più. Non mi importava più di niente. Non c'erano posti dove fermarsi e stare.

Li troverà, i soldi, quando toglierà le cose di Nina – quando toglierà le cose di Nina! –, mi ripetevo, aprirà il cassetto e li troverà. Smetterà di fare la cameriera.

Sono passata davanti al capolinea degli autobus. Vito Ferrari mi avrebbe cercata invano all'albergo Italia. Mi è tornato in mente il suo impaccio in ospedale, le parole sprezzanti del dottor Contini. Conoscendolo, se fossi rimasta in città non avrebbe resistito a stanarmi. E io l'avrei seguito.

Ma che importava, ormai. La mia mente batteva contro un muro. Camminavo come un automa, via, via da palazzi, discoteche, macchine, tavernette.

Fuori, al largo, verso campi, fiumi, cieli. Solo luoghi ampi sarebbero stati capaci di contenere il mio smarrimento.

Avrei camminato fino a non sentire più le gambe. Fino a dimenticare di avere braccia e polmoni. Di avere dentro un pozzo che smaniava di essere riempito. Fino a dimenticarmi di me stessa.

Fino a raggiungere il mio cavaliere Sciù-Sciù.

14.

CASE APERTE

Se è vero che ci si ammala prima nell'anima e poi nel corpo – come insegna l'*Iliade* e come avevo sperimentato io stessa sulla mia pelle – dove comincia la guarigione, nell'anima o nel corpo? E chi decide il momento, il clic, la svolta verso il peggio o il meglio? Credevo di aver comprato un biglietto per l'inferno. Che, in mancanza di pillole, sarei entrata nella prima rivendita di superalcolici. Che non avrei staccato le labbra dal collo della bottiglia fino a cadere lunga distesa col cervello in pappola e le budella perforate. Senza più scambiare parola con nessuno perché nessuno aveva più niente da dirmi e io non avevo più niente da dire a nessuno. Sarei diventata una barbona solitaria, sorda e muta, sepolta sotto una montagna di stracci.

Invece, il mio clic verso la guarigione sono stati pane, salame e lacrime.

Perché pane, salame e lacrime erano stati il cibo della mia infanzia.

Avevo camminato tutto il giorno, anche se non dovevo aver fatto poi molti chilometri perché più di una volta ero stata costretta a sdraiarmi a ridosso di un albero in qualche prato. Avevo sempre amato la notte in campagna ma non ero certa che stavolta la mia ombra non mi avrebbe fatto paura. Mi ero fermata nell'alimentari di un paese. Ed ecco che, mentre chiedevo una bottiglia di sambuca, l'occhio mi è caduto sul reparto salumi e mi è tornato in mente il tempo felice quando Omero mi voleva ancora bene: la Doriana gli preparava per merenda un panino al salame e io, seduta accanto al mio amico nell'androne, lo guardavo mangiare a quattro palmenti facendo la bava finché lui non me ne dava un pezzetto.

Il muro di cristallo che mi separava dalle emozioni si è infranto. Invece che con la bottiglia, sono uscita dal negozio con la faccia devastata dalle lacrime, stringendo in mano un panino al salame. Da quel momento mi ha presa una tale smania che camminavo frugando l'orizzonte in cerca di un campanile, di un acquedotto, il segnale di un paese per un nuovo rifornimento.

Con che trepidazione, già con gli occhi larghi di pianto, mettevo una carta da mille sul banco dell'alimentari, con che gusto affondavo i canini nella mollica, con quanta intensità spingevo e rispingevo con la lingua l'impasto contro il palato, con quale metodicità raccoglievo fino all'ultima le briciole sparse sul mio petto! La cosa ancora più scioccante era che, malgrado tutto quel cibo, lo stomaco non mi si gonfiava come mi succedeva di solito, ormai da anni, quando inghiottivo anche solo un quinto di quello che avevo appena divorato. E io non precipitavo nel cupo senso di colpa e d'angoscia da cui mi salvavano le dita in gola di Vito Ferrari.

L'energia tornava. I contorni delle cose apparivano più nitidi, come se qualcuno avesse grattato via con una spugna abrasiva la patina invisibile che offuscava il mondo, restituendogli colore e smalto. Fra poco sarà primavera, ho pensato tutto a un tratto.

Mi sono accorta che, se acceleravo il passo, la mia andatura si faceva scattante, i muscoli rispondevano senza sforzo, provavo un certo piacere a stare dentro il mio corpo e – posso dirlo? – da qualche parte spuntava un sentimento che somigliava all'allegria.

Guadagnavo il nord. Procedevo in parallelo alla via Emilia, paese dopo paese, negozio dopo negozio, tutti superforniti di ottimo pane e salame. Andare in quella direzione era un balsamo che asciugava le mie lacrime e mi zittiva lo stomaco. Era la mia, mi apparteneva. A nord c'era il mio paese. A nord di casa mia c'era Milano, dove mi aspettava la dea Senzanome. Il tempo che mi separava da quell'incontro restava un grande, immenso vuoto, ma ciò che lo avrebbe riempito mi faceva meno paura ora che mi ero lasciata alle spalle Vito Ferrari. Di nuovo senza nome, non mi sentivo sola. Avevo ripreso i contatti con il mio mondo, che camminava con me. Come avevo potuto dimenticare che ovunque andassi avevo la protezione dei miei angeli custodi: la mamma Luigina, Graffiato, Achille il Pelide? E adesso a loro si era aggiunta Nina. Chi avrebbe più osato farmi del male?

Il buco in fronte che mi aveva fatto l'ombrello di sua madre si era rimarginato. Adesso era una piccola stella che avrebbe segnato il mio corpo fino alla sua distruzione indicandomi la strada da seguire nel paese dell'affetto.

Milano si è annunciata da lontano con i palazzoni di vetro dell'Eni, grigi come il piombo della coperta senza angoli che ogni inverno stende sul cielo della città.

Lì ero nata e da lì volevo ricominciare.

In corso di Porta Romana c'erano rivoletti vocianti di ragazzi che sembravano camminare tutti nella stessa direzione. Capelli né corti né lunghi, jeans, giacche di velluto a coste, giubbotti verde militare con cappuccio, scarpe da ginnastica, striscioni con scritte colorate.

La loro allegra eccitazione mi ha fatto venir voglia di affiancarmi, di farmi trascinare. Tanto più che nessuno mi chiedeva niente, anzi, mi hanno salutato e io mi sono domandata dove potevamo esserci conosciuti. La cosa sorprendente è stata vedere altri ragazzi, ma anche gente qualsiasi, uomini soprattutto, uscire dai portoni e dalle strade per aggregarsi a noi. Il gruppo si ingrossava passo passo. Sbucando su via Larga eravamo una lunga biscia che si snodava a scatti, come percorsa da scariche elettriche. Verso il Duomo è diventata marea. Da più parti, voci distorte uscivano dai megafoni.

Cosa diavolo era?

Un ragazzo mi osservava, sorridendo. Alto, magro, con i capelli a spazzola e un'aria molto familiare.

"Lisa Torcia Ardente, anche tu alla manifestazione?!"

"Dillo Boy!" ho mormorato, mentre mi liquefacevo seduta stante per l'emozione e il cuore mi saltava in gola, "Dillo Boy! Non posso crederci, sei proprio tu?!"

Gli sono volata fra le braccia.

"Ehi, un momento," ha fatto lui districandosi da me e curvandosi a parlarmi a bassa voce, "non chiamarmi così. Chiamami Victor, è il mio nome di battaglia. Oppure, visto che sei una vecchia amica: Guido, è il mio nome di battesimo."

"Va bene, Guido. Non sei più partito per la California?"

In certi momenti essere stupidi è dolce e rassicurante.

"Quale California? La California è qui! Non vedi cosa sta succedendo?"

"...E Genni?"

Un'ombra gli ha incupito lo sguardo.

"Sta ad Amsterdam. Ha inciso un 45. *Tell me baby*, Genni & L.A. – sta per Los Angeles, il gruppo che l'accompagna. Io ho tagliato la corda. Basta con le stronzate."

Mi squadrava dalla testa ai piedi.

"E tu, dov'eri finita?"

"Oh, be'..."

"Non dirmi che hai incontrato un vigile del fuoco..."

È scoppiato a ridere, facendo ridere anche me.

"Sì, è così." Ero ben contenta che mi fornisse una risposta valida per non addentrarmi in spiegazioni imbarazzanti.

"E dov'è adesso questo fenomeno?"

"Mmh, be', le cose non andavano più bene tra di noi... Insomma, mi ha mollata."

"Se ti ha risolto quel problemone... Un bel sollievo!"

"Vero. Proprio così."

120

Ero stanca morta e per un momento ho temuto che Milano mi facesse uno dei suoi brutti scherzi. Quand'ero arrivata la prima volta non riuscivo più a fermarmi, capace che adesso non sarei più riuscita a camminare. Guido Dillo Boy mi ha presentato alcuni ragazzi.

"Vincenzo, Fefè dell'Alfa Romeo. Giovanni della Pirelli. Adriano, Letizia e Anna... compagni del mio corso, alla Statale."

Cosa cosa? Si era iscritto all'università? Proprio lui che diceva che la vera scuola è la realtà e mi aveva fatto perdere la valigia della mamma Luigina con dentro l'*Iliade*, l'*Eneide*, il *Quaderno Speciale* e la mia data!

"Tutto il sistema è da buttare. Nessuno deve più dirci cosa fare e come farlo. Sei dei nostri?"

"Sì... sì!"

"Brava Lisa!"

"Neanche io mi chiamo più così adesso. Chiamami..."

Non mi veniva.

"Trovato!" ha detto lui, "ti chiamerò Nadežda, come Nadežda Konstantinovna Krupskaja."

"Chi è?"

"Era. La moglie di Lenin. Gran donna. Non solo perché ha sposato Lenin. Era una rivoluzionaria intellettuale, membro del comitato centrale del partito e del presidium del Soviet Supremo. Prendi il suo nome, suona bene con Victor."

"Nadežda? Stai scherzando? È troppo difficile. Impronunciabile."

"Nadežda, Naža, Nadia, Nada, come ti pare. Su, muoviamoci."

Nada. Mi piaceva. Qualcosa mi diceva che mi sarei abituata a rispondere a quel nome prima e più facilmente che ad altri. Nada, cioè nulla, picche, niente da fare, come diceva sempre Carlito, a Parigi. Mi ero già chiamata così, in segreto. Sul frontespizio dei libri di scuola al posto del mio nome scrivevo W io = Nessuno. Nada era il femminile di Nemo, nessuno. Quale altro nome sarebbe stato più azzeccato di questo per me, la figlia della dea Senzanome, ora che tornavo a vivere nella città dove lei mi aveva fatta nascere e mi aspettava? Sembrava che uno spiritello l'avesse suggerito a Guido, che di queste cose non sapeva niente.

Se il divino permea tutto, come sostiene Omero, la divinità non fa nulla a caso.

In quanto alla direzione da prendere, non ho fatto domande. Non ne avevo fatte neanche la prima volta, quando ancora non lo conoscevo. Con lui si andava sempre verso l'avvenire. Ho stretto i glutei e gettato in avanti le gambe per tenere il passo con i manifestanti.

15.

QUELLO CHE NON POSSO DIRTI

Io sì, t'avrei fatto sapere
quante cose tu hai
che mi fanno impazzire.

LUIGI TENCO

Guido viveva con un mucchio di altri ragazzi in uno stabile occupato di via Vigevano, dove tutti si conoscevano. Il portone era chiuso anche di giorno, con gente che montava la guardia, ma le porte degli appartamenti restavano sempre aperte. Vi si tenevano riunioni fiume che andavano avanti sino all'alba.

"Casa occupata, nessuno paga per abitarci" mi ha spiegato Guido. "Niente padroni!"

"E loro, i padroni, non dicono niente?" ho chiesto io.

"Che cazzo di domande fai, Nada? dove vivi? Il padrone del caseggiato è un ente, un padrone padrone, mica un tizio in carne e ossa. Un ente è il capitale fatto persona. Ma facessero pure quello che gli pare, muovessero mari e monti. Nessuno ci caccerà di qui, neanche la polizia. Facciamo i turni di guardia. Le pantere non avrebbero neanche il tempo di spuntare dall'alzaia che noi avremmo già organizzato la resistenza."

C'era un tale pandemonio!

"Qui siamo rumorosi perché siamo sinceri, leali. Prendi Fefè dell'Alfa Romeo. Non ha niente da nascondere, quello che fa lo fa alla luce del sole, siamo compagni e non possiamo non starti simpatici" mi ha detto Guido.

"Uno non mi sta simpatico perché è un compagno, mi sta simpatico e basta" ho detto io.

Con mia sorpresa negli appartamenti tutti uguali, due stanze con il bagno esterno sul ballatoio in fondo alla fila di porte d'ingresso marrone scuro, non c'era un solo grande materasso comune, ma parecchi singoli su brande di fortuna. Tutti stipati di tavoli ingombri di carte, posacenere pieni di cicche, pacchetti di esportazioni senza filtro, macchine da scrivere, sacchi a pelo sempre sfatti, volantini, carte, ciclostilati, e libri, libri dappertutto, ammonticchiati, aperti, con intere pagine sottolineate.

In realtà il cuore delle case era il ballatoio. Gente vi transitava a tutte le ore del giorno e della notte, parlando, ridendo, fumando, baciandosi, entrando in un appartamento a fare una cosa per finirla in un altro, due o tre porte più in là, senza mai chiedere permesso, discutendo, infiammandosi e alterandosi anche se non contraddetti, menando pugnazzi sul tavolo e nessuno chiamava l'altro per nome ma tutti: compagno, compagna.

Alcuni erano compagni di università, ma altri si vedeva benissimo che non lo erano. Sono compagni in cosa?, ho chiesto. Compagni nella lotta di classe, mi ha risposto Guido. Voleva a tutti i costi che diventassi in fretta anch'io una compagna, come la Pina, la Giorgia, l'Anna e l'Emilia. Tutte accoppiate. Perché l'unione fa la forza, ha detto. Perché dovevamo essere in tanti a lottare contro i padroni. Quali padroni? I padroni della classe operaia. Tu cosa c'entri, sei un beat, un capellone, uno scappato di casa. No, adesso sono uno studente. E ho i mezzi per far capire a quelli che non li hanno quanto sono sfruttati. Devo insegnar loro a difendersi.

"Non suoni più?" gli ho chiesto vedendo che in giro non c'erano chitarre.

"Adesso suono la musica delle parole," mi ha risposto, "in certi momenti storici le parole sono più efficaci della musica."

Le parole!

Chi poteva apprezzarlo più di me? L'ammirazione mi ammutoliva. Cambiare il mondo era un'impresa eroica e Guido era fortunato ad aver capito che questa era la sua strada.

Capitava che sognassi Nina. Non erano mai pagine, capitoli della nostra vita passata. Solo frammenti, spezzoni. Nina parlava, voleva dirmi qualcosa ma non riuscivo a sentirla. Era sul lato opposto di una stanza nel bel mezzo di un'infuocata assemblea; la sua faccia spuntava dietro lo striscione di un collettivo. Mentre scappavo sotto lo sfrigolare dei lacrimogeni a una manifestazione, me la trovavo al fianco. Mi svegliavo di soprassalto, stordita, il cuore in tumulto.

Il cuscino era intriso di lacrime. Ma i miei occhi e le mie guance erano asciutti. Chi aveva pianto nel mio letto?

"Cazzo, mettiti i pantaloni, non puoi più andare in giro col culo di fuori" mi ha detto Guido, e io sono rimasta di sasso.

Che sogno potente doveva essere questo Movimento se era capace di fargli passare un colpo di spugna sul passato! Ma se proprio lui mi aveva fatto indossare la prima minigonna, se con le sue stesse mani mi aveva gettata fra le braccia di un camionista per pagare il passaggio, se a Parigi girava per casa con tutto di fuori e praticava il sesso libero!

Anche se non se ne parla più, non per questo le cose esistite cessano di esistere.

Se per Dillo Boy ero sempre venuta dopo tutte le altre ragazze, ora che c'era di mezzo un intero Movimento, per Guido non sarei più esistita, punto e basta.

"Vieni qui," mi ha detto lui con dolcezza vedendo che mi ero rabbuiata, "dai, cazzo, mica volevo offenderti. Se ti fa piacere puoi tenerti le tue minigonne" (vorrei vedere!), e mi ha fatto posto sul letto, accanto a sé. Si è acceso una sigaretta, mi ha circondato le spalle con un braccio e siamo rimasti in silenzio. Ogni volta che mi chiamava per nome, il nome nuovo che aveva scelto per me, fra di noi si stabiliva una corrente calda.

"I paesi industrializzati producono molto più di quanto consumano... Dividi la ricchezza e vedrai che nessuno sulla Terra avrebbe bisogno di lavorare più di due, tre ore al giorno... Credi che i padroni verranno spontaneamente a un accordo? Nessuno molla i propri privilegi, bisogna prenderglieli."

Ha girato la testa verso di me. Naso contro naso. Il suo respiro si è ingrossato, i suoi occhi sono diventati di velluto.

"Ehi, Nada, ricordi che figata le torte? Certe volte me le sogno, sai. Genni era la maga dell'impasto, e tu... (canterellando) *Sa-ti-sfa-ction*... Cazzo! Orrida sensazione quella volta nel cesso sull'autostrada. La storia del pompiere... Non è che te la sei inventata?"

Ha appoggiato titubante la mano qualche centimetro sopra il mio basso ventre. Io restavo in silenzio, con il fiato sospeso. La Torcia Ardente si era spenta, ma che ne era del suo focolaio? Avevo imparato a mie spese che il corpo ti riserva sempre delle sorprese. È uno strumento sensibile e sapiente, misterioso. Tutt'altro che una massa informe di cui possiamo disporre a nostro piacimento.

Le dita di Guido hanno strisciato lungo le mie cosce. Su, più su.

"Vuoi essere la mia ragazza?"

Non era cambiato. In fondo era rimasto quello del materasso. Una volta partito, non si fermava più. Ha incollato la bocca alla mia... *Saa*, la sua lingua mi ha frugato tra i denti... *tiii*, le sue mani hanno armeggiato con bottone e cerniera dei jeans... *sfaa...* Si è fermato a guardarmi tutto serio.

"Un momento!"

Mi ha dato le spalle per frugare dietro la pila di libri sul pavimento accanto al letto. Mi ha mostrato un pacchetto. L'ha aperto, ha estratto un cappuccio di gomma, ha voluto che lo aiutassi a infilarlo. Subito dopo mi ha chiuso la bocca con un bacio ed è entrato dentro di me con un gemito... *ction!*

Forse sarebbe meglio dire che è scivolato nel mio corpo perché non l'ho sentito entrare. C'era il suo cuore che batteva forte contro il mio petto, ma poco o niente di lui fra le mie gambe. Non credo fosse colpa del cappuccio. Comunque c'era di che essere contenta, visto che Guido Dillo Boy mi aveva chiesto di essere la sua ragazza e non ce n'erano altre in giro. Avevo sempre desiderato essere la sua prediletta fin da quando l'avevo visto la prima volta, nel metrò. Adesso che ci stavamo abbracciando tutto ciò che prima ci aveva separato era sparito. Eravamo soli, noi due. Eppure, anche se le sue carezze e i suoi baci mi producevano un lago di dolcezza nel cuore, nel posto giusto non avvertivo che un pallido formicolio. Gli ho allacciato le gambe in vita, assecondando i suoi movimenti. La sua moto andava già al massimo, la mia era ancora ferma sul cavalletto. Ci davo dentro col pedale per farla partire, ma niente da fare, non ci riuscivo. Coraggio, mi dicevo spingendo i fianchi, concentrati, non può essere tanto difficile.

Guido ha inarcato la schiena con un grido. Non il grido da bestia ferita di Vito Ferrari. Neppure i grugniti dei proprietari delle auto fuori dalla discoteca. Il suo grido era pieno di gioia stupefatta, la sorpresa di qualcosa di bello, di nuovo e inaspettato. Si è lasciato cadere addosso a me, molle, svuotato.

"Sei fantastica... Fantastica, la mia ragazza, la mia Satisfaction, ti chiamerò così quando i compagni non ci sentono..." mi ha sussurrato sul collo.

È rotolato su un fianco. Ha schiuso le palpebre. Mi ha guardata. Stremato. Come se avesse valicato a piedi una montagna.

"E tu...? Ti è piaciuto? è stato bello? sei venuta?"

Sì, mi sono limitata a dire in fretta. Sì.

Mica potevo dirgli che la mia moto non era partita.

Adesso che ero la sua ragazza avevo solo bisogno di un po' di tempo. Quanto? Chi poteva dirlo? Con sgomento, ho capito subito che aver mentito la prima volta mi condannava a mentire ancora. Non sono bugie che si dicono senza conseguenze, queste.

127

Guido si è messo seduto sul letto. Cercava a tastoni le sigarette. Sembrava un pugile suonato che scende dal ring. Far partire la sua moto era stato facile per lui, ma restarci in sella a lungo non doveva essere stato uno scherzo.

Si imparano un sacco di cose della gente guardandola godere, mi aveva detto Genni, a Parigi. Ecco quello che ho imparato io: nascere non basta, accidenti. Bisogna darsi parecchio da fare non solo per vivere ma anche per venire.

Dormire in mezzo a pile di libri era così eccitante che spesso restavo sveglia. Nel bel mezzo della notte ne prendevo due, tre alla volta e, per non svegliare nessuno, andavo a chiudermi al cesso, sul ballatoio. Scoprivo i padri del pensiero contemporaneo e del Movimento. Mi impregnavo delle loro idee come fossi carta assorbente. Imparavo un linguaggio tutto nuovo, che mi svelava il senso, la mappa dei nostri comportamenti. Non ero più frastornata quando qualcuno, in assemblea, parlava per citazioni, e io non sapevo più chi avesse ragione perché i tappi di bottiglia delle mie modeste conoscenze saltavano tutti assieme. Ora seguivo e capivo quel che si diceva. Ad esempio: come si cambia il mondo? Usando l'immaginazione nel creare un codice di parole nuove per rivelare una nuova realtà, come una lampadina illuminando la zona buia di una stanza svela nuovi oggetti di cui da subito non si potrà più fare a meno.

Nuovi concetti si incidevano nella mia testa con lo stridere del gesso su una lavagna e mi mettevano l'adrenalina in corpo: per cambiare il mondo si doveva prima di tutto abolire il passato. Dunque, per diventare me stessa non c'era bisogno di scrivere la mia data di nascita a caratteri cubitali sul *Quaderno Speciale*? Neppure di sapere chi fosse la dea Senzanome? Se proprio non potevo fare a meno di avere un inizio, potevo inventarmelo? Davvero le cose stavano così?

Ogni volta che avevo cambiato nome, qualcosa era cambiato in me. Anche Guido, smettendo di essere Dillo Boy, aveva cambiato il suo modo di essere nel mondo, quindi il suo destino.

Volevamo che non finisse tutto con la nostra giovinezza, ma durasse nel tempo. Sit-in, assemblee, occupazioni, mozioni d'ordine, manifestazioni... si sentiva nell'aria che qualcosa di grosso poteva accadere da un momento all'altro. Era un continuo corri corri con la Due Cavalli sgangherata di Fefè dell'Alfa Romeo da un punto all'altro della città, ovunque fosse necessario mettere l'immaginazione al servizio della causa, occupare un nuovo stabile, una nuova facoltà. Dovunque si individuasse un obiettivo che manteneva il vecchio stato sociale, lì si canalizzavano tutte le nostre energie d'intervento, fisiche, intellettuali e creative.

Per strada, nei quartieri, all'università, Guido era un vero Victor, un leader che aveva chiari i principi fondamentali della lotta di classe. Sapeva interpretare politicamente la realtà meglio di chiunque altro ed era in grado in ogni momento di decidere il da farsi. Sempre pronto a sottolineare e combattere le debolezze altrui, andava su tutte le furie se gli facevo notare che con il suo comportamento, mettendosi al di sopra degli altri, nutriva la propria vanità e questa debolezza era di gran lunga la peggiore di tutte.
"E tu, allora, non sei molto espansiva per essere la mia ragazza!" mi accusava lui, di rimando.
Era vero, c'erano molte altre cose che mi piaceva di più fare con lui invece che l'amore. La mia moto continuava a non volerne sapere di partire, ma più passava il tempo, meno riuscivo a dirglielo e non appena si avvicinava il momento di andare a letto ero molto infelice.
Invidiavo le altre che di sicuro non avevano simili problemi. Almeno mi fosse venuta una grande idea per un'azione rivoluzionaria. Invece, durante le riunioni continuavo a esse-

re adibita a preparare panini con mortadella e formaggio. Al massimo, mi si chiedeva di fare la guardia, seduta sul davanzale della finestra della cucina, controllare il movimento su via Vigevano, sui Navigli, oltre i Navigli, Porta Genova. Mentre a Victor, un giornale aveva chiesto un'intervista e tutti ne parlavano, gasati.

La riunione era affollatissima. All'ordine del giorno una strategia d'intervento. Si dovevano sensibilizzare gli operai di una fabbrica di elettrodomestici alla periferia nord della città perché scioperassero e partecipassero a un sit-in indetto dagli studenti. Bisognava distribuire ciclostilati, ma il padrone aveva messo picchetti agli ingressi della fabbrica. Meglio agire di notte, quando i controlli si allentavano, ma come entrare? Si studiava la piantina disegnata a memoria da un compagno magazziniere che ci lavorava. Parecchi compagni presenti erano schedati e avevano subito condanne e giorni di carcerazione.

Le stanze erano sature di fumo, tutti strillavano, mi stava venendo il mal di testa, quando è spuntata quell'idea. Era vecchia quanto il mondo, perciò mi è sembrata buona. Se aveva funzionato con i troiani perché non poteva funzionare anche con i fabbricanti di elettrodomestici?

Ho suggerito di fare come fecero gli achei con il cavallo di legno. Mi sono offerta. Sfruttando il fatto che ero piccola e minuta, mi sarei nascosta nel bagagliaio di un furgone che faceva le consegne. Sarei entrata in fabbrica fin dal pomeriggio. Nottetempo, sarei uscita e avrei aperto agli altri che aspettavano fuori. In pochi minuti i volantini sarebbero stati distribuiti a tappeto.

Si è alzato un coro di fischi e di buu.

"Roba da reazionari, come il tuo Ulisse. La rivoluzione non ha bisogno di mezzucci piccolo-borghesi."

Come avrebbe potuto essere piccolo-borghese e reazionario un eroe greco che si era ribellato agli dèi e al fato non arrivavo a capirlo. Avrei voluto seppellirmi viva per aver fatto fare brutta figura in pubblico a Victor. Invece lui mi è venuto vicino mettendomi una mano su una spalla e facendomi pollice dritto. L'idea era ottima, ma non ci sarei andata io. Troppo pericoloso.

Il cavallo di Troia aveva funzionato. Gli operai erano entrati in sciopero e Guido si era preso il merito dell'idea, avendola messa in pratica.

"Sono fiero di te, fiero, fiero, fiero!" mi ha scandito fra i capelli, mentre si spingeva dentro di me e io cercavo invano di scaldare i motori.

"Sai come si uccidono i lupi?" gli ho sussurrato all'orecchio. "Si mette un pezzo di carne sulla punta di un coltello, il lupo azzanna la carne e si taglia. Si lecca il sangue e lo rilecca, allargando la ferita, così aumenta la fuoriuscita del sangue e alla fine muore dissanguato."

"Come lo sai?"

"L'ho letto sulla tua enciclopedia degli animali."

Ha sollevato appena la testa da sopra la mia spalla, tutto arruffato, e mi ha guardata francamente stupito.

"E tu perdi tempo a documentarti sui lupi?"

Per tutta risposta gli ho teso una sciarpa.

"Che devo farci?" ha sbuffato spazientito.

"Legami alle gambe del letto."

"Perché?"

"Così sono obbligata a stare ferma."

"Non ti capisco, Satisfaction. Che gusto c'è a stare ferma?"

"Lascia stare, non importa."

Siamo emersi dall'ennesima notte di esportazioni senza filtro, energia arrabbiata, dita sporche di inchiostro, occhiaie, lenzuola stropicciate e ci siamo infilati nella Due Cavalli che albeggiava.

La mia prima missione ufficiale! Quarto Oggiaro. Compito: rifornire di dazebao un gruppo di scioperanti.

Non ci si vedeva dalla nebbia. Sembrava novembre invece che un giorno di primavera. Negli ultimi tempi il mondo era stato voltato e rivoltato come un calzino, ma la natura se ne fregava. La nebbia, ad esempio: veniva quando le pareva e conservava intatta la propria tranquilla, impenetrabile bellezza.

Le strade erano deserte.

"Senti, potremmo anche prendercela comoda, fermarci a bere un caffè" ho provato a dire a Guido, dal momento che non si leggevano i nomi delle strade ed era difficile trovare la direzione.

"Fermarci a bere un caffè col vecchio mondo che ci sta alle calcagna?" E ha sterzato di colpo per evitare il muso di un tram. "Non parlare che mi distrai!"

La macchina era vecchiotta, le marce basse non aiutavano, ogni tanto il motore si ingolfava. Scivolavamo nel bianco silenzio, il naso incollato al parabrezza. Le rotaie che ci guidavano sono sparite, siamo andati avanti per dieci minuti, seguendo la linea bianca della strada. Era quella giusta? Boh. Guido ha fatto inversione. Con i finestrini abbassati e la testa fuori abbiamo rifatto il percorso all'incontrario. Così almeno ci sembrava. Ma sì, avremmo trovato la strada perché ci sarebbe venuta incontro. Dove avrebbe potuto andare se non incontro a noi? Infatti, ecco il cavalcavia. Dopo il cavalcavia doveva esserci un semaforo con un incrocio. Girare a sinistra, poi a destra, seguire il rettilineo fino a incontrare un muro perimetrale. Costeggiarlo fino a un cancello.

Niente semaforo, nessun incrocio, ecco un muro perimetrale, però finiva su un portone spalancato.

"Dove siamo?" si è chiesto Guido.

"Andiamo a vedere" ho proposto io.

Siamo scesi dalla macchina.

"Cazzo, cazzo!" ha sbottato Guido, "ma questa è merda di vacca!"

E guardava incredulo in terra, ma ormai era fatta, stavo anch'io a sciasciare con le scarpe dentro una frittata di merda. Da qualche parte, nell'indistinto, è salito un poderoso muggito.

"Dove cazzo mi hai fatto finire? Questa è una cascina. Che facciamo adesso?" Era rosso di rabbia.

"Be', non guidavo io! Tira fuori la tua risoluzione strategica numero ventimila."

Si è abbassato, e quando ha rialzato la testa per un momento ho pensato che stesse per arrivarmi addosso una palla di merda. Invece mi ha teso lo striscione.

"Muoviti!"

"Conosco i contadini, vanno per le spicce," ho detto io, "se ci beccano ci fanno correre."

"Hai paura?"

"Con te mai."

"Allora sei davvero la mia ragazza."

"Certo. La tua ragazza di serie A."

"E non mi tradirai mai?"

"No!"

"Neanche sotto tortura?"

"Neanche."

Ho afferrato l'altra estremità dello striscione. Lui ha preso il sacchetto con dentro chiodi e martello. Abbiamo perlustrato il muro palmo a palmo fino a trovare sporgenze nei mattoni. Guido mi ha fatto scaletta e io mi sono issata in cima. Mi ci sono messa sopra a cavalcioni e gli ho teso una mano per far salire anche lui. Da lassù abbiamo controllato che la scritta cadesse nel verso giusto, srotolato lo striscione, inchiodato il bordo superiore alla spalletta, quindi ci siamo lasciati scivolare a terra.

Sparita la nebbia, la scritta cubitale sarebbe stata leggibile in un raggio di cento, duecento metri: non sapevamo in quale direzione, ma speravamo su strada, non verso le stalle:

NON CI RITERREMO RESPONSABILI DI NULLA!

Rischiare le botte per attaccare una scritta simile per una mandria di mucche! Siamo tornati di corsa alla macchina ridendo, mano nella mano.

"Pensi che gliene freghi qualcosa?" gli ho chiesto, facendo un cenno in direzione del muggito.

"Perché no? Pensa che bello se anche le mucche scendessero in piazza!" mi ha risposto lui, strizzandomi l'occhio.

Ora so che la felicità rende stupidi. E so anche perché. Quando ci sentiamo protetti, al sicuro, abbassiamo la guardia, dimenticando che è con il sole che esce la vipera. In nome della felicità cerchiamo di azzerare il passato in vista di un futuro migliore. Ma il futuro non esiste e il passato non si può azzerare. Nessuno degli alberi della mia campagna starebbe in piedi se non avesse le radici.

Ero la fidanzata di Guido, dormivo nel suo letto, non sotto, come facevo da Nina, e neanche per strada, come prima. La mia moto continuava a non partire, ma lui era sempre smanioso di farci un giro. Brutto, ma vero: Guido per me occupava il posto delle pillole. Non ero innamorata di lui. In fondo al cuore continuavo a pensare a Nina, alla dea Senzanome, a papà, alla gente del mio paese. E, anche se non l'avrei confessato a nessuno, fra loro si aggirava spesso un fantasma cattivo: Vito Ferrari.

Perché Guido non sentisse quanto ero lontana, l'ho coperto di piccoli baci trepidanti sulla fronte, sulla guancia, sul collo. Lui si schermiva ma mi credeva. Mi faceva male che mi credesse.

Mi scansava e poi mi attirava a sé. Finiscila, pazzerella, vuoi che usciamo di strada?, diceva.

Ma io ascoltavo solo le sue parole, non la vibrazione di gioia che gli faceva tremare la voce.

16.

ORIZZONTE VERTICALE

> Non v'è parola senza risposta, anche se
> non incontra che il silenzio, purché essa
> abbia un uditore.
>
> JACQUES LACAN

"Ferma, la pula!" ha sibilato Guido, tenendomi indietro con un braccio per farmi appiattire contro il muro del palazzo.

Le due del mattino, e le strade intorno al piazzale della stazione di Porta Genova erano deserte. Abbiamo spinto fuori il naso con circospezione per valutare il pericolo e decidere il da farsi. Un uomo in borghese stazionava su via Vigevano, davanti al portone dello stabile. Fumava e guardava in alto, in direzione delle nostre finestre. Sembrava solo, ma c'era la possibilità che a un suo cenno sbucasse da un momento all'altro una squadra di poliziotti. Anche se non avevamo addosso niente di compromettente, tipo volantini, comunicati o altro, potevano portarci al commissariato per un controllo. Ne avevano fermati alcuni, per strada, gli ultimi giorni, pestati e arrestati senza motivo! Abbiamo aspettato, poi, visto che non succedeva niente, siamo avanzati di qualche metro.

"Non è della pula," ha borbottato Guido, "troppo ben messo. È un fascista! Ma dove sono i compagni?"

Ha fatto un fischio, il segnale di riconoscimento. I vetri delle finestre sono rimasti chiusi.

Dieci, otto, cinque passi.

Profumo di colonia costosa. Profumo di crudeltà.

"Ciao, Lupattola!"

Con un balzo mi sono messa davanti a Guido nello stupido tentativo di nascondergli Vito Ferrari. Come se, per il semplice fatto di trovarselo davanti, Guido potesse scoprire che gli avevo nascosto il marcio che c'era in me, compreso il fatto che fingevo di provare piacere a letto.

Come aveva fatto a trovarmi?

"Finalmente ci si rivede!" ha esclamato con durezza Vito Ferrari, ricacciandosi indietro la frangia e facendo scorrere lo sguardo da me a Guido, da Guido a me.

"Chi è lei, cosa vuole da Nada?"

"Nada?"

Le labbra sottili di Vito Ferrari si sono stirate in una smorfia di scherno.

"È mio zio," mi sono affrettata a spiegare a Guido con il tono più convincente possibile, spingendolo via. "Non preoccuparti. Va' a casa, ti raggiungo subito."

"Tuo zio?"

Pregavo che la bugia tenesse. Guido non sapeva niente della mia famiglia. Pure io potevo avere parenti danarosi, anche se nessuno mi manteneva all'università.

"Sì."

"...Ok. Ma solo perché me lo chiedi tu."

Per niente convinto, Guido ha cacciato la chiave nella toppa. Senza staccare gli occhi da Vito Ferrari, ha spinto il portone contro il muro, di modo che restasse aperto. La fiamma di un accendino e la voce di Fefè dell'Alfa Romeo hanno tagliato il buio.

"Victor, sei tu? Entra, sbrigati, ci sono i fascisti in giro!"

"Chiudi, non preoccuparti, davvero" ho detto io.

Vito Ferrari mi ha presa per un gomito.

"Vieni, lo zietto fascista deve parlarti."

Abbiamo camminato per un centinaio di metri in un silenzio carico di tensione. Una Jaguar nuova fiammante era parcheggiata di traverso davanti al portone d'angolo su via Corsico, le ruote sul marciapiede. Il padrone del mondo mi ha fatto segno di salire con un gesto imperioso.

Fossi scema! La strada mi proteggeva. Ho continuato a camminare verso il piazzale di Porta Genova.

"Hai messo su peso, sei orrenda! Buona per palati dozzinali!"

Schiumava di rabbia contenuta. Non riuscivo a credere che fosse geloso. Tuttavia, il disprezzo nella sua voce risvegliava in me un lacerante struggimento.

"Come hai potuto andartene senza dirmi niente?"

(Voleva dire: senza chiedermi il permesso.)

Avrebbe potuto continuare così fra noi, come fra me e papà: lui a cercare di chiudere definitivamente la portiera della sua Jaguar sopra di me e io a provargli che ero in grado di riaprirla ogni volta, di nuovo. Colpo su colpo.

"Sono venuto a prenderti per portarti a casa. Tu hai bisogno di me."

Casa? quale casa? Non c'è mai stata nessuna casa e poi faccio un'altra vita adesso, avrei voluto dirgli, Nina non c'è più e niente al mondo mi farà tornare nella tavernetta per indossare quei ridicoli costumi, prestarmi ai tuoi giochi perversi. Adesso lotto con i compagni, gente aperta, pulita, che vuol cambiare il mondo, disinfestarlo dai lupi come te, renderlo migliore. Non vedi come sono cambiata? Sono persino ingrassata!

Ma cosa poteva importare a Vito Ferrari di cambiare il mondo? A lui andava benissimo così com'era. Non è sempre il padrone, alla fine, che stabilisce il prezzo?

Via privata Sartirana.

Vito Ferrari mi ha teso una grossa busta gialla intestata.

"Qui c'è scritto tutto quello che vuoi sapere su una certa nascita illegittima avvenuta diciassette anni fa. Anzi, diciassette anni e tre mesi, a essere precisi."

Comune di Milano. Certificato integrale di nascita di Vera Sironi. Vertigine, tuffo al cuore. Gola secca. Annaspavo. Vedevo tutto annebbiato.

Come aveva fatto a procurarselo? Era un documento personale, che io sola avrei potuto richiedere una volta maggiorenne. A che titolo il comune di Milano glielo aveva rilasciato?

Non devi meravigliarti. Sono il tuo dio onnipotente.

Già, chi può mai rifiutare qualcosa a qualcuno che si crede un dio?

Ho allungato una mano. Ma prima che potessi afferrare la busta, lui ha nascosto il braccio dietro la schiena.

"È inutile che scappi, ti troverei in capo al mondo. E tu lo sai, Vera, Giovanna, Sitara, o Nada, comunque ti faccia chiamare adesso. I lupi non tradiscono i loro simili. Sai cosa succede a chi lo fa?"

Era tutto assurdo. Eppure mi sono sentita rispondere: "No".

(*Dammi la busta!*) Mia madre a un metro da me. Contava il resto?

"Non te la caverai a buon mercato. Adesso sei solo una cagnetta. Dovrai meritarti di tornare lupattola..."

"Sì..."

(*Dammi la busta!*) Vederla oggi stesso, abbracciarla!

Via Ventimiglia.

"Una cagnetta in cerca del suo padrone..."

"Sì..."

Ha fatto fare cucù alla busta.

"È molto importante per te, non è così?"

"Sì."

"Pensi di meritartela?"

Ponte sulla ferrovia.

"No... non credo."

"Benissimo, infatti sono molto arrabbiato con te. Oggi non ti basterà avere una buona idea. Dovrà essere superba."

Stavolta non avevo idee. La notte faceva velo intorno a noi, ma non eravamo nella tavernetta bensì nel popoloso quartiere Ticinese di Milano. E io non volevo più averne di *quelle* idee. Ma sarà poi vero che si cambia? Oppure, nel profondo, si resta sempre gli stessi?

Vito Ferrari mi ha afferrata per mano, trascinandomi verso le scale. Lo conoscevo bene quel ponte. Attraversa i binari e collega il piazzale con via Tortona. Il posto, molto trafficato di giorno da operai, pendolari, casalinghe, di notte brulicava di gente equivoca. Il suo bar era uno dei posti più squallidi e sporchi della città e la polizia ferroviaria aveva un bel daffare a tenere lontane prostitute e teste calde, come venivano chiamati in questura i compagni comunisti.

Inscatolato in una struttura di ferro color verde bottiglia, il ponte era chiuso sui lati da lamiere che correvano ad altezza d'uomo e fungevano da parapetti. Non ci si poteva affacciare e guardare giù. Le scale di accesso erano piene di scritte inneggianti alla rivoluzione.

I primi tempi inciampavo all'altezza della cornice della gabbia. Un paio di volte ero persino caduta. Incuriosita, ero tornata indietro per capire perché e avevo notato che tre scalini erano di poco più alti degli altri. Vito Ferrari lo sapeva? Se fosse inciampato, magari cadendo, forse la busta gli sarebbe sfuggita di mano e io l'avrei presa, dandomela a gambe. Sarei corsa in via Vigevano gridando: compagni, un fascista vuole picchiarmi! Ci avrebbero pensato loro a sistemarlo. Scommetto che non avrebbe più provato a cercarmi, dopo.

Ma Vito Ferrari non è inciampato. Non è il tipo che sta con la testa tra le nuvole, lui. All'inizio del ponte si è fermato. Qualcuno stava litigando sotto l'arcata, accanto alla casetta rettangolare, davanti ai bagni pubblici a lato dei binari. Vito Ferrari si è messo un dito sulle labbra per dirmi di stare zitta. La stretta della sua mano sul mio polso è diventata una tenaglia. Le voci si sono allontanate. Qualcosa gli è balenato in mente, strappandogli un grugnito di piacere.

"Non vedi l'ora di farti perdonare, eh?"

"Sì."

"Faresti qualsiasi cosa per avere il mio perdono, vero?"

Si stava gonfiando sotto la cintura.

"Così sarei un fascista! Voi donne amate i fascisti... I bruti che vi fanno soffrire. E sai perché? Perché in fondo al cuore anche voi siete brutali..."

"Sì."

"Su, monta!" mi ha ordinato picchiando col palmo della mano sulla base della gabbia di ferro.

Era pazzesco oltre che stupido. Se mi fossi issata là sopra sarei stata bene in vista in un raggio molto ampio, facile bersaglio degli agenti di polizia. Cosa diavolo aveva in mente?

Vito Ferrari non ha neanche preso in considerazione l'ipotesi che potessi oppormi, ribellarmi. In verità, nemmeno io ci ho pensato. Mia madre era a un metro da me, in anticipo di tre anni e nove mesi. Potevo farcela. Ero agile, al paese mi arrampicavo spesso sugli alberi. Certo non mi ero mai trovata in bilico a un'altezza del genere. Con il rischio che arrivasse un treno. Ma bastava che non guardassi giù. Lui non mi avrebbe certo raggiunta sulla struttura, e stare a distanza di sicurezza fisica da Vito Ferrari era già qualcosa. Dalla mia avevo un grande vantaggio che lui ignorava: finché non avessi letto il certificato sarei rimasta la figlia di una dea. Non avevo dubbi che mia madre avrebbe intercesso per me presso il padre Zeus abbracciandogli le ginocchia. Lui avrebbe subito inviato un emissario, magari sotto le spoglie di un merlo – la zona ne era piena –, che mi avrebbe agganciata alle transenne cucendomi addosso invisibili fili di bava.

Ma appena mi sono issata in cima alla struttura, ho capito che mi sarebbe stato impossibile fare un solo gesto senza impazzire di paura. Sotto di me c'era uno strapiombo di sei, sette metri. Sassi aguzzi e binari di ferro illuminati di taglio dalle deboli luci della pensilina.

"Adesso togliti le mutande e rialzati la gonna sui fianchi!"

Gambe di marmo. Mi aggrappavo ai tubi con uno spasimo tale che avevo le nocche bianche, i muscoli degli avambracci duri come sassi. L'unico vantaggio era che Vito Ferrari non avrebbe potuto farmi mollare la presa, le mie mani erano fuori dalla sua portata. Però aveva cominciato a martellarmi sulle scarpe con il pugno che stringeva la busta. L'altra mano era occupata su di sé.

"Ubbidisci!"

Le dita dei piedi mi dolevano da piangere. Ero in un bagno di sudore. Mi sforzavo di guardare dritto davanti a me, ma – orrore! – il vuoto mi comprimeva da ogni parte. C'ero immersa. Lo sentivo anche a occhi chiusi. Con tutta me stessa volevo fare quello che Vito Ferrari mi aveva appena ordinato, e con tutta me stessa mi opponevo. Lui adesso gemeva forte. Con la coda dell'occhio ho percepito un movimento sulla banchina. Il fascio di una potente pila ha tirato fuori un pallido blu dalla mia minigonna jeans. Il sibilo di un fischietto ha ripetutamente lacerato l'aria.

"Ehi, lassù! Che cavolo fai?!"

Passi di corsa. Altri sibili, concitati. Due punti gialli sono spuntati all'orizzonte, sui binari. Un fischio di locomotiva ha annunciato il transito di un treno. Tutto era nitido, vivo e vicinissimo. Ma io ero diventata lontana, infinitamente lontana.

Dovevo decidermi, se volevo quella busta. Prima che Vito Ferrari si accorgesse dell'agente che stava correndo sulla banchina in direzione del ponte e del treno che avanzava scuro come la pece sbuffando nuvole grigie e potesse cambiare idea. Andarsene, lasciandomi semplicemente lì. Mi sono costretta a strappare una mano dal tubo. Così indolenzita che muovevo le dita a fatica. Me la sono portata sul fianco. Le mie cosce erano fredde e inerti come la transenna alla quale mi aggrappavo. Non ho riconosciuto al tatto né il cotone delle mutande né la peluria del mio sesso.

"Apriti, cagnetta, fa' vedere come fai pipì!"

I nostri occhi si sono incrociati. I miei pieni di disperazione, i suoi gonfi di libidine.

"Brava, Lupattola!" ha mormorato Vito Ferrari tendendomi la busta.

È stato un attimo. Meno di un attimo. Un riflesso incontrollato. Ho visto la busta volteggiare nel vuoto e mi sono lanciata istintivamente per afferrarla, dimenticandomi di tutto il resto. L'ho solo sfiorata.

Non ho gridato. Sono piombata giù, battendo scomposta braccia e gambe, cercando il terreno con i piedi, un inesistente appiglio nell'aria, con in testa un pensiero fisso e ripetitivo come un disco incantato: peccato essere ingrassata. Due o tre chili in meno fanno una bella differenza se si cade da una certa altezza.

Ho avuto fortuna. Non sono caduta sui binari, non sono finita stritolata dalle ruote del treno merci, non mi sono rotta tutta sul selciato della banchina. Sono atterrata sul tetto del deposito, solo tre metri più in basso. E qui mi sono appiattita, già padrona di me anche se acciaccata e dolorante, a spiare i due uomini. Sembrava stessero giocando a guardia e ladri. L'agente in divisa bestemmiava rincorrendo con il fascio della pila Vito Ferrari che scappava, scendendo i gradini a quattro a quattro.

17.

LA LEGGE DEI TRE NON

L'essere e il niente sono la stessa cosa.

MARTIN HEIDEGGER

Il treno merci sferragliava in lontananza, ma io sentivo solo il gran battere d'ali dei cavalli celesti che trasportavano per sempre nell'Olimpo la dea Senzanome.

Non pensavo ad altro, guardando dal tetto del deposito la busta che l'aria mossa dalle ruote del treno in movimento aveva fatto volteggiare qui e là e che ora si era posata come una grande farfalla ai piedi del muro di cinta della ferrovia. Tutto stava tornando alla calma. Nel suo giro di controllo l'agente era passato e ripassato sotto di me. Avevo visto il suo berretto girare intorno al deposito, ma lui non aveva alzato la testa e non aveva pensato di ispezionare il tetto. Dalla strada mi era arrivato il rabbioso colpo di clacson della Jaguar con il quale Vito Ferrari mi dava il suo minaccioso arrivederci. E il grido ripetuto e ansioso di Guido e Fefè dell'Alfa Romeo che mi chiamavano dalle vie adiacenti: Nada! Nadežda!

Ma volevo restare sola. Scendere e prendere la busta. Due metri di selciato mi separavano dal mio destino. Eppure, esitavo. Non desideravo altro che sapere da quando la Dea dei baci mi aveva fatto la rivelazione. Figlia di Enne Enne. Niente. Nessuno. Le cose fra me e papà avevano preso una brutta piega a causa di quel niente, nessuno. E anche le cose fra me e il mondo si erano guastate per lo stesso motivo. Ora, con grande anticipo, avevo l'opportunità di cambiare quel niente, nessuno, in qualcosa, qualcuno.

143

Il nome di mia madre sarebbe sceso sul mio capo come un battesimo, segnandomi e legandomi a sé per sempre. Come tutti coloro che sono stati chiamati, sarei stata sottoposta alla legge di ciò che è detto. Avrei smesso di essere figlia di una dea come il mio amatissimo Achille il Pelide. Sarei diventata una ragazza qualsiasi, figlia di una mortale. Il Caso non mi avrebbe più protetta. Un tetto di deposito non si sarebbe più trovato sulla traiettoria delle mie cadute dai ponti. Rinunciavo con entusiasmo a questi privilegi. Cosa potevano mai valere in confronto all'abbraccio di una madre?

Ma allora perché esitavo?

Mi sono lasciata cadere. Ho strisciato lungo le rotaie verso la palizzata. La stazione faceva silenzio. La città addormentata alle mie spalle mi dava un piacevole senso di intimità e sicurezza, come l'immensità della campagna sotto la luna piena quando dormivo nell'avvallamento di un fosso. Eppure, tremavo tutta. Senza volerlo, nell'aprire la busta ho strappato la carta. Mi è sfuggito un grido, come se avessi lacerato un lembo di pelle a mia madre. Un lembo della mia stessa pelle.

Dentro, c'era uno stampato compilato negli appositi spazi in un corsivo tutto ghirigori.

Diceva:

L'anno *millenovecentocinquantuno* addì *ventuno* del mese di *gennaio* alle ore *dieci* e minuti *trenta*, avanti a me *Lanciani rag. Ettore* Commissario Amministrativo, Ufficiale dello Stato civile del comune di Milano, per delegazione avuta, è comparsa *Ferrante Ada* di *Luciano* di anni *quaranta*, *ostetrica*, residente in Milano – quale *ostetrica che ha prestato assistenza al parto*
alla presenza dei testimoni
Acciari Federico fu *Giuseppe* di anni *cinquantotto*, portiere, residente in *Milano* e *Spada Luigi* fu *Francesco* di anni *sessanta*, *portiere*, residente in *Milano*
che ha dichiarato quanto segue:
il giorno *venti* del mese di *gennaio* dell'anno *millenovecentocinquan-*

tuno alle ore *ventidue* e minuti *trenta* nella casa posta in via *F.lli Bronzetti* numero *ventiquattro* da
una donna che non consente di essere nominata
è nato un bambino di sesso *femminile*.
A detto bambino che non mi viene presentato ma della cui nascita io mi sono accertato a mezzo del *certificato di assistenza al parto rilasciato dall'ostetrica suddetta* io sottoscritto do il nome VERA e il cognome FERIGINI.
Detto bambino viene da me inviato al locale Istituto provinciale di Protezione ed Assistenza all'Infanzia per mezzo di Ferrante Ada di ciò incaricata, alla quale rimetto copia del presente atto perché lo consegni al direttore del citato Istituto insieme col bambino.
Il presente atto viene letto dagli interessati i quali, tutti, insieme con me lo sottoscrivono.

Seguivano le firme dell'ostetrica e dei testimoni. Sul margine sinistro dell'atto c'era un'annotazione:

Atto numero *51*
Cognome: *Ferigini*
Nome: *Vera*
Sesso: *femminile*
Annotazione:
Ferigini Vera è stata affiliata dai coniugi *Sironi Giuseppe* di *Antonio* e *Graziani Luigina* di *Angelo* ed ha assunto il cognome dell'affiliante.
Provvedimento del Giudice Tutelare di... con data... Firma

Tutto era a posto, le rotaie, le luci al neon della banchina della stazione deserta, i ciuffi d'erba umidi di brina. Niente segnalava la catastrofe dentro di me. Il sangue mi si era gelato nelle vene.
Nata da una donna che *non* consente di essere nominata.
La direttrice del brefotrofio, papà, don Bruno, la Maria. Persino la Dea dei baci. Tutti avevano ragione. Tutti tranne me. Tutti sapevano che la mia attesa era una stupida follia. Mi avevano detto la verità. Non potevo sapere chi era mia madre perché lei stessa aveva fatto in modo di restare sconosciuta. Semplice. Ma, come tutte le verità più semplici, era l'ultima cosa a cui avrei potuto credere.
Mi sono lasciata andare sul terreno. Sopra la mia testa, in

alto, una stella spuntava timidamente nel cielo lattiginoso. Ho chiuso gli occhi. Li ho riaperti. La stella era sempre al suo posto.

Oh, se qualcuno, uno sconosciuto, passando mi avesse raccolta, presa con sé, tenuta cara! Se un cancellino fosse passato sulla lavagna della mia vita, niente più struggimenti, entusiasmi, mortificazioni, ideali, proclami, umiliazioni, divinità. Solo amicizia, sentimenti, rispetto, fratellanza, riposo, discorrere, umanità.

Nata da una donna che *non* consente di essere nominata.

Potevo tornare da Guido, essere una Nadežda Konstantinovna Krupskaja per Victor, la sua ragazza di serie A, studiare, prendere il diploma, iscrivermi all'università, militare al servizio di un magnifico ideale, un Mondo Migliore?

Nata da una donna che *non* consente di essere nominata.

Tornare da Vito Ferrari, e mentre lui diventava un luminare della medicina, sposava la fidanzata e poi l'annullava facendole sfornare qualche marmocchio, portava altre cento ragazze di serie B come Nina a cena sulle colline bolognesi, fracassando loro la testa contro i platani insieme all'ultimo modello di Jaguar, rinsaldare il nostro patto scellerato di lupi, razziando insieme il lecito e l'illecito, fornendo sempre nuove vittime alla causa del Mondo Peggiore?

(Che stupida! Per darmi il certificato, quel demonio doveva averlo letto, sapere che non era un passaporto per la libertà, ma la sentenza che poteva consegnarmi definitivamente a lui.)

Nata da una donna che *non* consente di essere nominata.

Dire che fossi desolata è niente. Ero scoordinata, disfatta, come se qualcuno avesse staccato la spina di me da me stessa.

Di quali colpe mi ero macchiata ancor prima di nascere, cosa avevo commesso di così terribile per essere tagliata fuori al nastro di partenza?

Meglio sdraiarsi sul binario con gli occhi chiusi. Presto sarebbe passato un altro treno. Pancia in sotto, aspettando l'impatto, avrei stretto i denti e urlato tutta la mia rabbia e

146

impotenza nel terreno. Come un raggio laser, il mio grido si sarebbe scavato un passaggio fra le rocce sino a raggiungere il cuore incandescente della Terra. Da lì sarebbe sprizzato un getto di lapilli e magma che avrebbe incenerito Milano con tutti i suoi abitanti (perché non dubitavo che mia madre fosse tra questi).

18.

VERITÀ SONANTI

Perdona le colpe come io rimetto i terrori
abroga le dure feste, i fasti, i languori
festa della tua carne, le
sonore gioie.

AMELIA ROSSELLI

La luce della torcia mi ha presa in pieno immobilizzandomi contro la parete esterna dei bagni. Ho fatto ancora in tempo a chiudere il bottone della tasca dove avevo messo il certificato di nascita. L'agente di polizia ferroviaria mi sovrastava. E dire che mi era sembrato così piccolo, dalla transenna.

"Eri tu sul ponte, prima?"

In certi casi è meglio non rispondere. Mi si è avvicinato spegnendo la pila. Se l'è lasciata ricadere sul fianco, accanto alla pistola appesa al cinturone.

"Sei scappata di casa? Scommetto che non hai neanche i documenti. Le conosco quelle come te. So cosa cercano."

Come fosse la cosa più naturale del mondo, mi è venuto addosso, spingendomi nel cesso e prendendomi la bocca con la sua. Mi sono abbandonata al suo abbraccio. Ne avevo bisogno. La sua barba mi raschiava la pelle. Era la prima volta che un uomo mi baciava così profondamente. Che mi faceva capire cosa vuol dire essere baciata. La sua bocca mi soffocava ma non avevo alcuna intenzione di respingerlo. Tutti i suoi gesti mi procuravano sensazioni fortissime che mi toglievano le forze. L'odore nauseabondo della latrina le amplificava, rendendole elettrizzanti. Sentivo una strana intimità con lo sconosciuto. D'un tratto, è entrato nel mio corpo. Era grosso, molto grosso e mi faceva male. Gli ho appoggiato le mani sul petto per spingerlo indietro, soffiando e mugolando diversi no! no! Ma lui ha continuato, incurante delle mie proteste. Ben presto al dolore si è sostituito un piacere sconosciuto. Lo odiavo e lo desideravo. La tesa del suo berretto mi batteva in testa, la pila e la fondina della pistola mi graffiavano il fianco. La sua voce roca mi riempiva le orecchie di suoni profondi che mi eccitavano terribilmente. Nella mia testa quell'uomo non era più un poliziotto delle ferrovie dello stato, ma Glauco guerriero, il capo dell'esercito licio, acerrimo nemico del mio amato Achille il Pelide, e io una fanciulla achea fatta prigioniera e condotta in catene nella sua tenda. I suoi occhi mi fissavano crudeli e io rispondevo con un furore selvaggio che mi rimescolava il sangue. Mi teneva per i fianchi con mani d'acciaio, entrando e uscendo da me secondo il suo comodo. Mi obbligava al suo ritmo, e io lo lasciavo fare, consegnata, posseduta, arresa. Un'onda, partitami dal basso ventre, dai reni, ha raggiunto l'intestino, lo stomaco, il petto, le spalle, le braccia, la bocca, gli occhi, la radice dei capelli ed è tornata giù, dal basso ventre alle cosce, alle ginocchia, ai polpacci, fino alle caviglie e alle dita dei piedi, tanto potente e sconosciuta da strapparmi un grido. Mi sono abbattuta fra le sue braccia, felice come mai ero stata.

Fossi stata meno timida, lo avrei ringraziato.

"Vattene via, alla svelta" mi ha detto lui brusco mentre si ricomponeva, dandomi una gran pacca sul sedere.

Non me lo sono fatto ripetere. Sono tornata a casa facendo il giro più lungo. Volevo godermi fino in fondo la spossatezza inebriante che mi aveva messo nei reni.

Guido non era in casa. Doveva essere ancora in giro a cercarmi. Sono andata a prendere il vocabolario di latino.

Volevo conoscere il significato del mio primo nome.

Vera Ferigini.

Ferio, īre, 4ª tr. (*da un rad.** **bher**- = *scalfire, tagliare, e sim., forare, spaccare, fendere – classico solo nelle forme derivanti dal tema del presente*),

I): *colpire con un urto, un colpo, un fendente, una stoccata, una sferzata* = **ferire**, **colpire**, **piagare**, **battere**, **percuotere**, 1) *propr.;* a) *in gen.;* f. frontem (*in fronte*), Cic.; faciem (*nel viso*), Cic.; ictu simili ferire, *venir colpito da un simile colpo (fig. = sventura),* Quint. 22, pr. 3, *assol.,* contra ferire, Sall.; b) **toccare**, **turbare**, his spectris etiamsi oculi possent feriri, *sebbene gli occhi potessero essere colpiti da questi spettri,* Cic.; ff. sidera vertice, *toccare le stelle, giungere fino alle st.,* Hor.; 2) *battere un suono* = **profferire**, verba palato, *forgiar parole,* Hor.; sat. 2, 3, 274; sonat vox, ut feritur, *la voce risuona secondo l'impulso che l'ha fatta proferire,* Quint. 11, 3, 221; f. carmen, *foggiare versi.*

Perché, perché dovevo essere capitata nelle mani di un ufficiale dello stato civile senza cuore? A quell'uomo era bastato dare un'occhiata al certificato di assistenza al parto che gli sottoponeva l'esimia ostetrica Ada Ferrante per condannare una bimba al destino di un nome simile? Vera Battere, Vera Colpire, Vera Percuotere, Vera Turbare.

In principio era il nome e il nome era presso Dio e Dio era il nome, Giovanna, tu dovresti saperlo, mi ha fatto all'orecchio la voce di don Bruno, limpida e chiara. Perché non te ne resti in Brasile dove sei andato missionario a occuparti dei bambini che non hanno niente e nessuno, gli ho ringhiato, devi tormentarmi anche dall'altro emisfero?

Lanciani Ettore... Ferrante Ada... Acciari Federico... Spada Luigi... Fratelli Bronzetti... La mia nascita era stata un basso affare di ostetriche e portieri, che avevano però nomi di guerrieri, di eroi, di imperatori. Intorno a me era stato da subito un roteare di spade, cozzare di lame, stridere di ferraglia. Ero nata nel segno della guerra, continuavo a vivere in quello del combattimento, dell'azione cruenta.

Ferrara. Vito Ferrari.

Chissà come si chiamava il poliziotto.

Tra le ventidue e trenta del venti gennaio e le dieci e trenta del ventuno erano passate dodici ore. Dov'ero stata in quel tempo? Avrò avuto bisogno di essere lavata, consolata. Tutti i neonati piangono, venire al mondo non è una passeggiata. Mi sono ispezionata la testa. C'erano (ci sono) parecchie protuberanze, segno che il parto era stato combattuto. Vera Ferio. L'ostetrica Ada doveva essere una pasionaria del forcipe, non per niente si chiamava Ferrante. Se avevo sofferto io, doveva aver sofferto anche la partoriente. Forse avrà perso molto sangue, avrà avuto bisogno di riposarsi. Almeno per quella notte la cosa più logica era che ci avessero alloggiate sotto lo stesso tetto. Forse, nel medesimo letto. Avrò passato la notte tra le sue braccia? Per calmarmi, mi avrà attaccata al seno? Non osavo neanche pensarci. Come aveva potuto lasciarmi andare via se quella notte mi aveva tenuta tra le braccia? Non ero più un'indesiderata nel suo utero, un vampiro che si nutriva di lei, colpevole di averle spalancato il ventre per nascere, di rovinarle la vita con la mia sola presenza. Ero un esserino con i pugnetti chiusi che frignava ignaro e sgomento sul suo guanciale dopo aver nutrito le sue cellule e dato filo da torcere ai suoi reni. Forse, scrutandomi, avrà cercato i propri (o quelli del responsabile del guaio) nei miei lineamenti. Pare sia un impulso irresistibile, una cosa di cui non si può fare a meno, con i neonati. Le somigliavo? Ma se già sapeva che mi avrebbe abbandonata, non avrà certo perso tempo a scrutarmi, può darsi che nemmeno mi abbia voluta vedere. Forse, mentre la mia testa spuntava dalla sua carne, mentre mi stiracchiavo strepitando fra le sue gambe, avrà voltato la faccia per non guardarmi e non legarsi a me. Quanto ai dolori del parto, dice che si dimenticano subito.

Non era solo colpa sua. Ero presente anch'io mentre tutto questo avveniva. Perché non ricordavo il suo odore, la sua voce, il suo volto? Ero stata nove mesi nella sua pancia. Dovevo per forza sapere molte cose su di lei. Ma, per sopravvivere, dovevo anche aver deciso di non farle affiorare.

19.

UNA STRADA TUTTA PER ME

Noi speriamo sempre, ed è certo meglio
sperare che disperare. Perché: chi può
calcolare il possibile?

JOHANN WOLFGANG GOETHE

Intanto, però, mi era successo qualcosa dentro che diventava di giorno in giorno più evidente.

Al risveglio stavo spesso male.

Appena bagnavo le labbra nel caffellatte la mia faccia diventava verde e dovevo correre a vomitare. Avevo sostituito il caffellatte con il tè, ma il risultato non era cambiato. Dal momento che avevo sempre considerato il mio corpo alla stregua di un accessorio, più che preoccuparmi la cosa mi infastidiva. Poi, un giorno mi è capitato di non riuscire a trattenermi mentre ero per strada, con alcune compagne che avevano avuto bambini. La loro diagnosi è stata un colpo al cuore.

Incinta? Impossibile. Come, quando, in che modo, se con Guido usavamo sempre il preservativo e nelle ultime settimane non l'avevamo neanche più fatto, visto che lui era partito con gli altri per Parigi?

Dormivo sempre nel nostro letto ma avevo dimenticato il suo odore. Invece il ricordo del piacere provato tra le braccia del poliziotto non mi abbandonava mai. Il mio corpo si era svegliato e tutto per me adesso era erotico: la gamba della sedia, l'orlo di un piatto, le voci degli uomini, i miei pensieri – tutti i pensieri –, le rotondità di una mela. Mi avvolgevo i fianchi nelle lenzuola e le mie dita diventavano sapienti.

Incinta?! Mi mettevo i palmi a coppa sui seni per controllare se si erano ingrossati. Mi guardavo la pancia di profilo nello specchio dove Guido si faceva la barba.

Come potevo essere incinta se l'unico possibile responsabile era qualcuno a cui pensavo non come a una persona reale ma piuttosto come a un fantasma, a un richiamo dolce e misterioso?

Dopo una settimana passata a controllarmi inutilmente la curva del ventre, la mia ansia si era tanto ingigantita che non riuscivo più a dormire.

Ero cosciente di aver dovuto affrontare grandi problemi nei miei diciassette anni di vita. Ma questo li superava tutti.

Mi sono avvicinata a un vigile che stava mettendo una multa e gli ho chiesto:

"Esiste via Fratelli Bronzetti?".

"Certo che esiste" mi ha risposto.

Non era lontana, e mi ha indicato come raggiungerla, compreso il numero dei due tram che dovevo prendere.

Ed eccomi a camminare sul marciapiede di via Fratelli Bronzetti, all'altezza del numero 30, in direzione del 28 – e poi del 24 – ostentando indifferenza, mentre mi sentivo svenire a ogni passo.

Qui ha poggiato i piedi mia madre, anche lei ha camminato su questo marciapiede, i suoi occhi si sono posati su questo panorama, l'ultima volta che ho fatto questa strada dondolavo nel suo grembo, mi ripetevo. E mi lambiccavo il cervello cercando nel passato remoto brandelli di memoria, sensazioni, impressioni. Niente. Zero assoluto. Pensavo anche all'ostetrica. Quella donna faceva nascere bambini, doveva essere di indole buona, compassionevole. L'avrei sottoposta a un fuoco di fila di domande.

Mia madre era una ragazzina o una donna? alta o bassa? magra o grassa? gentile o nervosa? con le labbra carnose come le mie o sottili? e gli occhi? castani o azzurri, o

magari verdi, viola? lo sguardo intelligente, acuto o inge-
nuo? la voce era melodiosa, aspra, sferzante? camminava a
testa alta o con le spalle incurvate? la sua pancia era più o
meno grossa del normale? piangeva o si mostrava forte?
aveva paura di partorire? era venuta sola o con qualcuno?
era sicura di volermi lasciare? dava l'impressione di essere
di quelle che poi si pentono? guardava il cielo oppure solo
in terra? come muoveva le mani? gesticolava o era compo-
sta? aveva un libro con sé? (no, cancella la domanda, certo che le piaceva leggere, sennò io non avrei amato scrivere) aveva paura del futuro? ti guardava negli occhi? mostrava la propria paura o se ne vergognava? generosa nel
ridere o avara? cosa le piaceva fare? lavorava? che lavoro?
la sua pelle era dolce, di grana consistente? castana o
bionda? d'animo gentile o greve? era sensibile, accurata o
sbrigativa?

Aveva fretta di andarsene? Aveva avuto parole amorevoli
per me, mentre le facevo male, o mi aveva insultata? Perché
non poteva tenermi? Perché mi aveva abbandonata?

Ohè, mi stai tirando scema! Perché non le fai a tua madre
tutte queste domande?, avrebbe protestato l'Ada Ferrante.
E mi avrebbe detto il suo nome.

Mi è bastato leggere il numero: 24 – a lato del portone
con colonne aperto su uno stretto cortile –, per capire che
non sarei mai riuscita a metterci piede.

Un uomo in età stazionava sul marciapiede e mi osservava. Lì accanto c'era un negozio di alimentari. Sono sgat-
taiolata dentro e ho finto di curiosare. Con la coda dell'occhio ho visto che il tizio mi aveva seguita. Ho preso da uno
scaffale la prima cosa che mi è capitata a tiro, una confe-
zione di saponette, e sono andata alla cassa. L'uomo mi ha
regalato un sorriso comprensivo. Ha agitato il pollice e l'indice a farfalla.

"Non sta più qui. Se n'è andata che saranno due anni."

"Chi?... Cosa?" ho balbettato, sbiancando.

"Come chi, l'Ada, dico io. Non è lei che cerchi?"

"Be'..."

"Se n'è andata."

"Dove?"

"E chi lo sa?, dico io. Da un figlio, pare, in Germania."

"Ma abitava qui, no?" sono riuscita a chiedergli, con la bocca secca.

"Porta a porta con me. Si dava un gran daffare. Capirai, con la pensione di ballerine nello stabile accanto, al numero 30, il lavoro non le mancava certo."

"Ballerine?"

Una ballerina! Mia madre una ballerina! Ecco perché mi piaceva tanto ballare. Avevo il ritmo nel sangue. Quell'uomo chi era? uno dei portieri? Acciari o Spada?

"Ballerine d'avanspettacolo. Adesso non ce n'è più, le compagnie teatrali chiudono. Eh, ne venivano parecchie di quelle ragazze, dico io..."

Mi ha sorriso di nuovo. Lasciava intendere di aver capito tutto, anche se non avevo detto nulla.

"Anche tu ballerina?"

"No, però mi piacerebbe, mi piace ballare... Ma l'Ada..."

"A un dato momento le cose si sono guastate. Erano partite denunce. Gente invidiosa, dico io. L'Ada faceva parecchi soldi. Con i nuovi condomini ha cominciato a tirare tutta un'altra aria. L'hanno fatta smettere. Siamo in centro, dico io, hanno ragione, ci vuole decenza, decoro! E tu come ti chiami?"

"Nadežda Krupskaja."

"...Russa?! Di dove? Mosca? Leningrado?"

Ho scosso la testa. Prima sì, poi no.

"Niet! Non sembri proprio russa, ci sono stato io, per la guerra. La seconda. Mondiale. Prigioniero quattro mesi. Sapevo qualche parola, ma le ho dimenticate. Belle donne laggiù, allegre, bionde, occhi celesti. Tu sembri piuttosto del Sud, hai la pelle olivastra. E parli bene l'italiano, dico io. Sei qui da molto?"

Tenevo gli occhi incollati alle finestre.

"Chi ci abita adesso?"

"Una famiglia. Perché ti interessa tanto?"

"Una mia amica è nata qui."

"Impossibile!"

"Poi l'hanno portata al brefotrofio."

"Ti dico che è impossibile."

"È lei che mi ha mandata."

"Dico io, sei sorda? Nessun bambino è mai nato qui. Quella non ha mai fatto nascere nessuno, te l'assicuro. L'Ada io la conoscevo bene."

"Eppure la mia amica è nata proprio qui. Sta scritto in un documento."

"Ah sì? Che documento?"

"Un estratto di nascita... È stata adottata, capisce... L'Ada l'ha fatta nascere, l'ha portata al brefotrofio, l'ha conosciuta, sua madre, la madre della mia amica, voglio dire, magari se la ricorda..."

"L'Ada?, dico io, con tutte le ragazze che ha maneggiato?"

"Forse un caso particolare se lo ricorda..."

"Erano tutte casi particolari. Ragazze disperate. Se una non era disperata mica veniva dall'Ada, dico io. Ti pare?"

Mi ha soppesato con una lunga, sapiente occhiata.

"Diglielo alla tua amica, che si metta l'anima in pace."

"Be', certo, era solo una curiosità, niente di più, passavo e già che c'ero..."

"Già! Ma questa tua... amica, è nei guai?"

"No-nno!"

"Tante volte, dico io, avesse bisogno del servizio..."

"Quale servizio?"

Mi si è fatto vicino, abbassando la voce.

"Quello che forniva l'Ada. Conosco qualcun altro che toglie la necessità del brefo più avanti. Mi capisci? Però non devi tornare qui. Diamoci un appuntamento, domani magari, da qualche parte."

Con il dito indice mi ha sfiorato il dorso di una mano. Ho fatto un salto, come punta da una vespa.

"Non si preoccupi, grazie, grazie lo stesso!"

Mi sono incamminata a spalle dritte, testa alta, non per un tardivo sussulto di dignità ma solo perché in quel modo dominavo meglio l'impulso di mettermi ad abbaiargli contro. Non mi interessava più sapere chi fosse, con che diritto mi avesse parlato in quel modo. Ma se anche lui se n'era accorto solo guardandomi, forse ero davvero nei guai.

C'era un bar, sul lato opposto della strada, un paio di isolati più avanti.

Da fuori no, ma appena entrata l'ho riconosciuta subito. Era la latteria d'angolo dove il signor De Sanctis mi mandava a comprare i panini per il pranzo quando lavoravo da lui. Guardando fuori dalla vetrina laterale, infatti: eccolo, il portone della tipografia!

L'enormità della cosa mi ha lasciata di sale.

Il posto su cui avevo fantasticato per anni, il luogo mitologico e irraggiungibile dove la dea Senzanome mi aveva messa al mondo, era dunque stato a pochi passi da me nel mio recente passato, dietro l'angolo, senza che lo sapessi?

Mentre me ne stavo curva a leggere roba che con la letteratura non c'entrava niente, sentendomi stringere il cuore per il fatto che anche a chi non è vero poeta sono riservati gli stessi patimenti dei poeti autentici, mentre rimuginavo su quali e quante distanze mi separavano da lei e sul tempo infinito – sei anni! – che avrei dovuto aspettare per cercarla e trovarla, mia madre faceva compere nel negozio di fronte?

Sono fuggita via subito. Avevo anche paura di trovarmi faccia a faccia con il signor De Sanctis o con la Nadia-Cleopatra.

Però sono rimasta nei dintorni. Gironzolavo per le strade scrutando in faccia le passanti, donne sulla quarantina. Niente mi toglieva dalla testa che, dal momento che mi aveva partorita lì, mia madre potesse ancora abitare in zona. Forse era quella bella signora che stava col naso appiccicato alla vetrina della profumeria. Qualcosa mi diceva che, vedendoci, ci saremmo subito riconosciute.

Due traverse più in là ho dovuto fermarmi mentre il rumore del traffico diventava muto e il mio cuore partiva al galoppo.
Il brefotrofio!
Questa ulteriore scoperta mi ha dato il colpo di grazia.
Nello spazio di tre isolati c'ero tutta io, si era compiuto il mio destino. Squallido o eroico, dipendeva dal punto di vista. Capirlo così, proprio adesso, era un segnale? Un avvertimento? Di che? La storia si ripeteva? Ricalcavo le orme di mia madre nei minimi particolari? Mi era riservata la stessa sorte?
Anch'io non avrei consentito di essere nominata per l'essere che mi aveva scelta per venire al mondo? Proprio per quello che – dicono – si è portati ad amare più di tutti?
Avrei accettato di essere al posto di chiunque pur di non essere al mio, in quel momento.

Mi sono infilata in un altro bar e ho chiesto un whiskey. È così che si fa, si beve per dimenticare. Il bar era una tabaccheria e c'era un gran viavai. Restavo seduta e istupidita a rigirarmi il bicchiere tra le mani. Guardavo i clienti con un filo di speranza. Magari uno di loro mi avrebbe raccolta, deciso per me, qualunque cosa.
Da quando ero andata via di casa non mi ero mai sentita così sola e spaventata.
Finché una preghiera mi è salita spontanea alle labbra: "Mamma Luigina, aiutami tu!".
E anche se erano millenni che non le chiedevo qualcosa, la mamma Luigina mi ha risposto. La forza ineluttabile che nasceva da me e guidava le mie azioni anche se non ne capivo il senso e il perché, né sapevo dove mi avrebbe portato, si è svegliata e mi ha spinta verso l'espositore dei biglietti d'auguri.

Li ho passati in rassegna con cura. Alla fine ne ho scelto uno semplice, tutto bianco.

Qualsiasi figura sarebbe stata fuorviante per quello che avevo da domandargli. Ho chiesto in prestito una penna, mi sono fatta riempire il bicchiere e sono tornata al mio posto. Scrivendo, pian piano ho cominciato a calmarmi, a stare meglio.

Caro papà,
spero che ce la farai a leggere, per me è difficile scriverti, ma devo farlo e tu devi ascoltarmi.
Ricordi il brefotrofio?
Non ci crederai ma sono seduta in un bar di fronte e ho in mano il mio certificato di nascita.
So tutto.
Ricordi?
Tu trentotto, primo cittadino e credente, cattolico. Io sette, una bimbetta magra e innamorata. Tu in camicia, le maniche arrotolate sugli avambracci e le bretelle ricamate. Io in abito di organza, un fiocco bianco tra i capelli, prati di margherite e salici lucenti. Io stringo al petto il nostro Graffiato e tu stringi me...
Poi, non so come, Vera Giovanna e Lucifero per te sono diventati una cosa sola e ne hai deciso l'esecuzione nel segreto della cantina.
Ma Lucifero ha resistito, io c'ero,

CI SONO!

Io restavo, una bastarda nella tua casa di padrone, non potevi cacciarmi (mi volevi bene), né usarmi solo come sguattera (ero troppo delicata), né considerarmi una vera figlia (contro tutta la tua nuova famiglia).
Io restavo. E non mollavo, non intristivo, non azzittivo, ma con ferocia infantile (perché dal giorno del tuo matrimonio ho deciso di non crescere più) continuavo ad amarti, minuto dopo

159

*minuto, giorno dopo giorno, a costo di rovinarci la vita, sicco-
me ti adoravo – volevo a tutti i costi crederti.*

*Picchiando me colpivi te stesso, i tuoi sentimenti per me.
Perciò diventavi sempre più crudele?*

*Anche se non mi hai mai cercata, lo so che se qualcuno ti
manca sono io. Non condannarmi a viverti contro in eterno.*

*Sia quello che sia, per me tu sarai il mio unico, adorato papà
per sempre tua*

*Vera Giovanna Sironi, Lisa Torcia Ardente, Sitara, Lupat-
tola, Nada, Vera Ferigini.*

*PS Ho bisogno di parlarti. Ti aspetterò al Mulino, vieni su-
bito, ti prego.*

Papà avrebbe capito? Sì, avrebbe capito. Sarebbe venuto? Sì, sarebbe venuto. Ci sono appuntamenti che non si
possono mancare.

Solo lui era in grado di salvarmi.

Ho firmato con tutti i nomi perché sapesse che non volevo più nascondergli nulla. Tanto meno avere paura.

Ho pagato la consumazione, messo il biglietto nella busta. Poi mi sono diretta alla fermata del tram per raggiungere il capolinea delle corriere.

Avrei imbucato la lettera non appena in paese. Sarebbe
stata sul tavolo di casa già la mattina dopo.

20.

HAI CHIUSO TU LA PORTA

Lascia che io sia
l'ombra della tua ombra,
l'ombra della tua mano,
l'ombra del tuo cane,
non lasciarmi,
non lasciarmi,
non lasciarmi,
non lasciarmi.

JACQUES BREL

Hai avuto torto a giudicarla male, avrebbe detto papà alla Maria: sembra una ragazza di ghiaccio, ma il suo è un ghiaccio bollente. Mettiamo una pietra sul passato. Qualsiasi stupidaggine abbia commesso è tornata e io l'accolgo a braccia aperte perché la conosco praticamente da quando è nata e le voglio bene.

Queste e altre mille cose dolci mi frullavano in testa mentre cercavo invano di gestire l'euforia di essere a casa, immersa nella fioritura stordente delle robinie e dei rovi del Mulino.

Era la prima notte all'addiaccio nella mia campagna dopo mesi ed era primavera piena. Le altre notti erano state segnate da rottura, odio, delusione. Questa nasceva sotto il segno della riconciliazione, della speranza. Mi sembrava di essere stata via un'eternità e di non essere mai partita. Credevo di essermi perduta, ma mi è bastato il fracasso della cascata, il ronzio dei calabroni intorno agli iris d'acqua, i tonfi delle rane che si gettavano nei fossi appena passavo lì vicino, il fruscio delle foglie d'argento dei salici per ritrovarmi tutta. Avevo tempo.

Almeno fino all'ora di pranzo del giorno dopo, quando papà avrebbe aperto la posta tornando dal lavoro. Non avevo un orologio, ma potevo leggere le ore sul campanile della

161

chiesa grande. C'erano quattro quadranti, uno per lato. Non avevo cibo. Ma poco distante c'era una cascina. Tutte le cascine hanno pucincine, gallinelle lasciate a scorrazzare libere che vanno a depositare le uova – piccole, gustosissime uova – fra i cespugli di rovi lungo i canali, dove avrei trovato anche fragole selvatiche. Per bere, nella stessa cascina ci sarebbe stata sicuramente una cannella. E per la notte, il portico mi avrebbe fornito riparo. Davanti alla stanza della ruota, dove c'erano gli ingranaggi arrugginiti, avevo scovato vecchi sacchi di iuta rosicchiati dai topi. Li ho sistemati in terra, nel posto più lontano dallo scroscio della cascata, per poter sentire rumori e voci. Da quel punto di osservazione si controlla l'unica strada sterrata fiancheggiata da canali che dal paese arriva al Mulino, passando proprio per casa mia.

Intanto scendeva la sera. Come resistere sotto al portico mentre manciate di lucciole si rincorrevano fra le siepi – uno sciame faceva brillare il cespuglio vicino al salice dov'era seppellita la mia parrucca – e centinaia di ranocchie si davano sulla voce dai bordi dei canali?

Alle cose che più ti piacciono non diresti mai basta. A costo di fare indigestione. Scoppiavo di odori, gracidii, cielo stellato e corse fra gli alberi. Alla fine, per la gran pesantezza alle palpebre, alle braccia e alle gambe non ho più potuto stare in piedi né tenere gli occhi aperti. Mi sono sdraiata sui sacchi, nel mio cantuccio, e malgrado avessi deciso di non abbassare la guardia per via dei topi, sono crollata all'istante.

Non faceva più freddo, ma la brina dell'alba mi è entrata nelle ossa facendomi battere i denti. Avevo bisogno del sole per distendere i muscoli rattrappiti, anche se sapevo che non appena fosse spuntato sarebbe finita la pace.

Infatti, quando il primo raggio ha tagliato la linea dell'orizzonte, le fronde dei salici e delle robinie si sono scosse tutte assieme come per scrollarsi un peso di dosso e nugoli di passeri sono saltati fuori gridando. I cespugli sono stati attraversati da un'onda d'urto, come una scudisciata: un esercito di calabroni, mosconi, moscerini, farfalle, cavallette, topolini, lucertole, ragni, bisce si è messo in moto all'improvviso. Le api hanno schiacciato il pulsante della catena di montaggio, facendo vibrare l'aria con i loro movimenti frenetici. Avvicinando l'orecchio ai gambi delle rose selvatiche, mi è parso di avvertire il fremito delle spine che tiravano fuori gli artigli.

Ho rivoltato una zolla e nel terriccio grasso, di un caldo bruno rossastro e appiccicoso, c'è stato un fuggifuggi di vermi e lombrichi. Questa è la terra più ricca del mondo, un tempo era un mare, pensavo – sempre incredula davanti a una tale eventualità – mentre raggiungevo il laghetto ai piedi della cascata per lavarmi la faccia con l'acqua fresca e limpida.

Ed è la mia terra.

Mezzogiorno. Nascosta dietro il muro (anche se non c'era in giro nessuno, sapevo per esperienza che la campagna ha mille occhi, diecimila orecchie) a fissare la strada. Questione di minuti. Mi sembrava di vederlo, papà, tutto contento al volante della Millecento, agitare la mano fuori dal finestrino impugnando la mia lettera.

Le due del pomeriggio. Ero così sicura di vedere il muso della macchina in fondo alla strada sterrata che mi è sembrato di sentire un colpo di clacson e sono saltata fuori dal nascondiglio. Pura immaginazione.

Alle tre la strada era sempre deserta. A parte una Cinquecento che era passata sollevando un polverone senza neanche rallentare, non si era visto nessuno. Non sapevo più cosa pensare. Per come lo conoscevo, ero certa che papà sarebbe venuto immediatamente, non appena letto il messaggio. A meno che la Maria, avendo riconosciuto la mia calligrafia sulla busta, non l'avesse buttata.

Seduta sui sacchi, i gomiti appoggiati al bordo del muro,

ho cercato di concentrarmi sul brontolio sempre uguale e sempre diverso della cascata, tifando per questa o quell'ape che faceva la corte a una primula. Non mi sono accorta di addormentarmi.

Mi sono svegliata di soprassalto, con la bocca impastata, gli occhi gonfi e un senso di frustrazione. Ho guardato subito il campanile. Le quattro. Qualcosa non era andato per il verso giusto. Forse papà aveva parlato della faccenda con la Maria. Avevano discusso. Forse lei gli aveva proibito di venire. Oppure la posta era in sciopero, la lettera non era stata consegnata, era andata perduta...

Il sole intanto era sparito, l'aria sapeva di pioggia e la campagna stava ferma, in attesa.

Le rondini volavano basse. Si è alzato un gran vento.

Nere nubi avanzavano dietro il filare dei platani come una mandria all'attacco, disordinata e tuttavia compatta. Presto hanno preso il cielo sopra il paese, mangiandosi il campanile della chiesa grande e la torre dell'acquedotto. Papà ne aveva ottenuto la costruzione quando era sindaco. Conquista che gli aveva valso il soprannome di sindacone.

Poi il vento è caduto di colpo. Le fronde degli alberi si sono drizzate, tendendo allo spasimo le foglie sui piccioli. I primi goccioloni, staffilando la vegetazione, hanno fatto strage di fiori maturi.

Pioveva a dirotto e io sono sbucata dal mio nascondiglio saltando a piè pari sull'erba. Gridavo dietro ai lampi, i tuoni mi rimbrottavano, mentre la pioggia scrosciante faceva palude dei campi.

In fretta, la tempesta è passata com'era venuta. Esausta, fradicia, sono rimasta a guardare le nuvole che il vento residuo spingeva come un gregge di pecore impaurite verso altri paesi, altri campanili. Il nostro della chiesa grande splendeva, lucido e colorato, come la torre dell'acquedotto.

A ovest, una striscia rosso oro tagliava l'orizzonte. Una

brezza tiepida leniva le corolle strapazzate dei fiori. I platani sembravano lontani, ma sapevo che erano solo a un centinaio di metri. È la magia della pianura, confondere le distanze. In quella, ho sentito i rintocchi della campana a morto. Un tocco, due, tre. Pausa, ancora un tocco, un secondo, un terzo. Un'altra pausa, poi la sequenza dei rintocchi si è ripetuta per l'ultima volta. Conoscevo il linguaggio delle campane. Per una donna i rintocchi erano solo due, ripetuti due volte. Dunque, era morto un uomo.

Qualcuno veniva al Mulino in bicicletta. Papà? Finalmente! Era ancora troppo lontano, non si capiva, così con un salto ho guadagnato il nascondiglio.

Conoscevo bene quell'uomo. Era l'ortolano, il marito della Doriana. Che ci veniva a fare al Mulino? Doveva cercare qualcuno perché si guardava attorno allungando il collo.

Si è fermato davanti al Mulino e senza scendere di sella si è messo la mano a imbuto intorno alla bocca e ha chiamato: "Giovanna!".

La sorpresa mi ha paralizzata. Ma mi sono ripresa in fretta. Che stupida, doveva averlo mandato papà. Per forza. Altrimenti come faceva l'ortolano a sapere che ero lì?

Ho messo fuori la testa.

"Ah, eccoti," ha detto lui, "vieni a casa, fa' la brava. Tuo papà è morto."

Ho dovuto respirare a fondo una, due, tre volte.

"Il tuo papà è morto! Hai capito?!"

Ho fatto segno di sì con la testa e lui se n'è tornato indietro, pedalando con calma, come rassegnato. Avevano fatto il militare insieme, poi la seconda guerra mondiale. Lui carrista, papà ufficiale.

Con i vestiti fradici di pioggia mi sono alzata, ma ancora una volta qualcosa non funzionava nelle mie gambe. Dovevo proprio dirmi 'cammina' per mettere un piede dietro l'altro. Non ho seguito la strada. Ho tagliato per i campi.

Doveva esserci parecchia gente se dall'androne la coda arrivava fino in strada. Avevano decorato l'arcata e i lati del portone con drappi neri. Hanno fatto presto, ho pensato. Quando sono apparsa io, tutti si sono azzittiti. Mi sono accorta di stringere in mano uno stelo d'ortica. La Doriana mi si è fatta incontro con un sorriso mesto, alcune mani si sono tese. Non le ho strette. Pensavo solo che dovevo essere ridicola tutta bagnata e in disordine. Non era in quello stato che avrei voluto presentarmi a papà. Tutti gli sguardi erano puntati su di me. Chissà quanti avrebbero pagato per veder uscire la Maria a farmi una scenata. Ciao, brutta gente, ho detto sorridendo. L'ho detto per davvero, non come tante volte che avevo solo immaginato di dirlo. Ho preso coraggio e l'ho ridetto. Ciao, brutta gente. Brutta, bruttissima gente, ciao. Qualcuno ha soffocato una risatina nervosa e fuori luogo. Cos'ha, che dice?, hanno chiesto. Lasciatela perdere, è alterata, ha risposto qualcuno. Comodo, eh? Per voi quando uno dice la verità è sempre alterato.

Comunque adesso non mi interessate proprio, glielo volevo dire: non siete voi a interessarmi ma quello che succede in casa mia. Scansatevi. E ho dato una spinta a chi mi stava vicino. Almeno mi è sembrato. Invece sono stata io a traballare, finendo addosso al muro. Sarei caduta se una mano non mi avesse afferrata per un gomito, tenendomi su. Non ero sicura di vederci bene. Non riconoscevo le facce. Oh bella, ho pensato, sta' a vedere che ho sbagliato paese, ho sbagliato casa. È qui che sta il sindacone, no? L'ho chiesto al primo che è capitato e siccome quello non rispondeva l'ho chiesto di nuovo a un altro. Accidenti, non cambiate mai voi campagnoli, sempre con i paraocchi, con quelli come me non vi degnate di parlarci, e mi è venuto da ridere all'idea di aver sbagliato paese e casa, perché, se era così, voleva dire che papà non era morto.

La porta era spalancata.

Sono tornata di colpo piccola, come quel giorno lontano in cui la mamma Luigina era morta e papà mi aveva condotta a salutarla per l'ultima volta.

Ho messo il piede sul primo dei gradini che portavano in sala...

166

Mi tenevo stretta alla tua mano e mi sembrava di sentire suonare la fisarmonica dello zio Pale, da qualche parte. Sopra il tavolo di noce c'era un'enorme cassa di legno scuro. Era senza coperchio, lunga quanto il tavolo, con le maniglie dorate e un fregio sull'orlo. Un pizzo fuoriusciva impettito dal bordo. Dovevano averlo stirato con l'amido. Abbiamo camminato fino a toccare il tavolo. Ti sei curvato, mi hai preso in braccio sollevandomi sopra la cassa. La mamma era là dentro, quieta e sola. I suoi capelli raccolti sembravano lunghi e folti, aveva un piccolo sorriso agli angoli della bocca, leggero come la pelle che le lucertole abbandonano sui sassi d'estate. Sapevo perché era contenta: doveva aver già cominciato il suo viaggio verso la luna. Quando ti ho strattonato per la manica mi hai guardato con occhi vuoti. Tu sei il re onnipotente che comanda alle cose visibili e invisibili: baciala, non lasciarla andare sulla luna, ti ho detto. Ma te l'avrò detto, oppure ho solo immaginato di farlo?

Bacialo, non lasciarlo andare sulla luna.

Baciami e tienimi per sempre con te.

Ma papà non c'era più. La cassa era stata chiusa. Il coperchio, sigillato.

Dunque, le campane avevano suonato per lui, per il suo funerale. Al mio paese non si seppellisce mai prima di quarantott'ore. Mentre io gli scrivevo, dunque, papà era già morto? Se l'ortolano era venuto a chiamarmi, in casa sapevano che ero al Mulino. Dovevano aver letto la lettera. Chi? la Maria? Perché non mi aveva chiamata prima?

Non potevo lasciarmelo portare via così, proprio adesso che avevo più bisogno di lui.

Ma, mentre andavo verso il feretro, la Maria ha fatto il suo ingresso in sala, pallida, tutta vestita di nero, un velo in testa.

Allora mi sono lanciata contro di lei con i pugni tesi gridando: bastarda, schifosa, dovevi chiamarmi prima! Sei tu la causa di tutto, la nostra rovina, se non ci fossi stata tu le cose non sarebbero andate così, ti odio! ti odio!

Qualcuno mi ha immobilizzata afferrandomi da dietro per le spalle. Lo zio Pale.

21.

PIOGGIA DI PAPAVERI

Non imparo mai.

Arturo Martini

Non avrei sopportato di camminare dietro al feretro fianco a fianco con la Maria e i suoi figli. Ho tagliato per la campagna. Mi sono fermata nel prato accanto al cimitero. Era pieno di papaveri che ondeggiavano al vento. Il rosso delle corolle squillava contro il giallo delle spighe. Mi sono messa a raccoglierli, ne ho composto un bel mazzo.

Quando sono arrivata la cassa era già stata calata nella fossa, il parroco la stava benedicendo e i becchini aspettavano con le mani appoggiate al manico delle vanghe.

La tomba non era quella della mamma Luigina, ma quella dei nonni paterni, la tomba dei Sironi. Solo adesso lo notavo. Anche da morta la mamma Luigina era stata ripudiata, rimandata alla tomba dei Graziani, la sua famiglia d'origine. In questa dei Sironi avrebbe certo trovato posto la Maria, insieme ai figli. Se io fossi morta all'improvviso, dove sarei stata sepolta? in quella dei Senzanome? Esisteva una fossa simile nel cimitero del paese?

Come se papà mi aspettasse vivo e volessi fargli festa, mi sono fatta largo tra la piccola folla e ho gettato tutti i papaveri in aria. Una pioggia di petali rossi ha volteggiato sulla voragine, cadendo dolcemente giù a coprire il feretro. Voci di donna hanno esclamato piccoli e strozzati oooh! I becchini si sono bloccati, guardando imbarazzati ora il parroco ora la vedova. È stato un attimo, ma sufficiente perché i petali si depositassero indisturbati sulla cassa, componendosi in un

168

disegno che a me è sembrato un grande cuore anche se un po' slabbrato.

Sono uscita dal cimitero per ultima.

Il Pale mi aspettava in piedi, vicino a una bella macchina. "È stato un ictus," mi ha sussurrato, "c'era da aspettarselo. Te l'avevo detto che da tempo non stava bene..."

"Quando è successo?"

"L'altro ieri, più o meno a quest'ora..."

Mentre io ero in via Fratelli Bronzetti, dunque. Sprofondavo in un dolore cupo, assordante, che la voce del Pale, in lontananza, scalfiva appena.

"Vieni a stare da noi, a Laveno. I nonni e la Teresa sarebbero ben contenti, abbiamo due figlie, due bambine che non hai ancora conosciuto. Sono simpatiche, sai? Puoi riprendere a studiare, se no lavori con me, in falegnameria. Ti è sempre piaciuto stare in mezzo alla segatura. Dove vai conciata così, magra, senza soldi, senza un mestiere in mano, in quei posti dove ti ho incontrata... Se fosse stata viva mia sorella, le cose sarebbero andate diversamente. Lei era una santa, ma i santi quello che sta lassù non li lascia su questa terra, li vuole in cielo, con sé... Al giorno d'oggi la vita è difficile per tutti. Se non ti metti in riga finisci male. Scusa, non volevo dirti questo... Andar via dal paese non è stato facile, cosa credi, la nonna piange appena ti si nomina..."

"Già, però non ci avete pensato due volte ad abbandonarmi qui quand'ero piccola. Strano modo di volermi bene..."

"Vedo che non sei cambiata... Sei rimasta una ragazzina orgogliosa e superba!"

"Puoi scappare, se vuoi" gli ho detto dura. "Stavolta non non ti corro più dietro come ho sempre fatto."

La Doriana e la Torelli si erano fermate sulla strada per godersi la scena del Pale che saliva in macchina sbattendo stizzito la portiera. Restavo un materiale di prim'ordine per Radio Serva.

"Mi spiace, il mio Omero non c'è, si è sposato con la Graziella e sono andati in viaggio di nozze, tornano domani" mi ha detto subito la Doriana quando le ho raggiunte. È rimasta a fissarmi aspettando una mia reazione.

Omero, il mio Omero, per sempre nelle grinfie della Graziella!

"Pover'uomo il tuo papà" ha cominciato la Torelli affiancandosi a me con l'amica. "Chi l'avrebbe detto che se ne andava ancora così giovane!"

"E in così poco tempo. Cosa sono, sei, sette mesi che sta male?, ha iniziato quando sei andata via."

"Già, gli sono venuti i capelli bianchi dalla sera alla mattina!"

Stavo zitta. E loro hanno cominciato a starnazzare, dicendo cose che sapevano dalla notte dei tempi ma che nessuno, accidenti, proprio nessuno si era mai preso la briga di dirmi prima.

"Pepino era innamorato della Maria fin da ragazzo. Voleva sposarla, l'aveva chiesta al Lampo. Ma il Lampo era pieno di debiti, e i Sironi ricchi, avrebbe dovuto darle il gregge in dote. Vogliono prendersi tutto, il gregge oltre alla figlia, diceva sputando in terra, no che non gliela do. Per non dargliela vinta ha mandato la Maria in convento. All'epoca c'era don Milvio, te lo ricordi, Doriana?"

"Come no? Don Milvio, è stato lui che ha fatto prendere la Maria al convento delle Canossiane, su, all'Aprica. Lei piangeva, ma non era solo per Pepino, le dispiaceva anche per il lavoro. A Pasqua, quando andavi a comprare l'agnello, era lei l'esperta che li sceglieva per macellarli, questo si può mettere in tavola, questo no."

"Dopo, quando ha finalmente sposato il tuo papà, la passione degli agnelli le è passata d'un colpo."

"Già, in casa ha trovato una pecorella che non ci stava a farsi mettere in tavola tanto facilmente!"

"Tuo papà sembrava impazzito, metteva in croce il suo vecchio e il Lampo, lui avrebbe sposato la Maria anche senza dote ma niente, nessuno dei due cedeva. Si sa come vanno queste cose. Pepino era un fior di ragazzo, in parecchie gli avevano messo gli occhi addosso. I suoi premevano perché prendesse moglie: c'era l'officina da mandare avanti, un bravo figlio si sposa e mette su famiglia."

"Il sarto abitava proprio di fronte a casa tua, sull'altro lato della strada. Gente povera, che faticava a mettere insieme il pranzo con la cena e aveva due ragazzi da tirare su. La femmina, la Luigina, cominciò a venire in casa Sironi a fare i mestieri. Era una ragazzina buona come il pane. Dopo qualche mese, a sorpresa, uscirono le pubblicazioni. Lei e Pepino si sposavano, lasciando tutte le altre di sasso. La mamma del tuo papà era una donna tremenda. Esigente! La povera Luigina si spaccava la schiena sui bucati. Eppure, vedessi com'era contenta! Mai un lamento, uno sbuffo."

"E sì che i soldi per prendere qualcuno a servizio non mancavano. La falegnameria andava a gonfie vele. Quanti operai c'erano, Doriana? quindici? venti? Anche il mio povero Tino, il mio figliolo che è annegato in Adda, Dio l'abbia in gloria, ci lavorava."

"Però figli non ne venivano, e la Luigina cominciava a mettere su una brutta cera."

"Intanto la Maria restava al convento, titubava a prendere i voti, faceva la capricciosa... l'eterna novizia, l'avevano soprannominata."

"Siccome figli non ne arrivavano, la Luigina convinse Pepino ad andarne a prendere uno. Oddio, lui non era molto d'accordo, ma il parroco ci ha messo lo zampino e quel brav'uomo si è deciso. Son venuti a prenderti di maggio, come adesso."

"Han fatto una gran festa sull'aia. Il paese intero è venuto a vederti. Dio, Giovanna, com'eri bella! Ti hanno vestita come una principessa e hanno ballato tutta la notte..."

"Bellissima sì, ma sempre con la berretta in testa. Per via della tonsura dell'orfano..."

"Al brefotrofio mica li prendono in braccio i bambini. Figurati, c'è un'infermiera per cento piccoletti. Strillano e puntano i piedini per spingersi su e così strusciano di continuo la testa sul cuscino. Ti tenevano sempre la cuffia perché anche tu avevi la pelata e la Luigina si vergognava..."

"Ma ecco che quella povera figlia prende a camminare storto e in capo a poco deve appoggiarsi a qualcosa per stare in piedi. Comincia la trafila all'ospedale. Non si capisce cos'ha, la portano anche a Lugano..."

"Sì, per un esperimento. Chissà cosa le hanno fatto. Non lo sa nessuno, non l'hanno voluto dire neanche al Pale. Quando è tornata non era più lei, si è allettata e amen."

"Intanto, al convento, la Maria era informata di tutto. Ci pensava sua sorella Iole. Che romanzi le scriveva! Appena ha saputo della disgrazia della Luigina, la Maria ha scritto al Pepino. E lui, in gran segreto, a risponderle."

"E la Iole a far da postino."

"Le malelingue non sono state zitte e alla Luigina si è spezzato il cuore. La storia poi la sai. Tua mamma è morta e non era neanche finito il lutto che la Maria veniva in casa da padrona. Io dico che non si deve prendere un uomo che ha già una figlia se non le si vuole bene. Non bisogna prenderselo, ecco tutto."

"Per me l'ha sposato per non restare zitella. Quando è uscita dal convento aveva già trentaquattro anni..."

"Ma dai, lo sanno tutti che lui era cotto. Un uomo mica sposa una più vecchia se non è cotto. Il miglior partito del paese. Aveva un'azienda, lui. Venti macchinari in bottega."

"Per me è stato il parroco a sistemare tutto."

"Che c'entra il parroco, ti dico che era cotto."

"Io so che lui stravedeva per la Giovanna. Altro che la Maria. Ti guardava e gli brillavano gli occhi. Sai cosa diceva di te? L'ho sentito con le mie orecchie, diceva che saresti diventata qualcuno, un giorno, lui ti vedeva grande! Com'era orgoglioso che hai pubblicato le poesie, ti portava in palma di mano con tutti."

"Sì, ma intanto la massacrava di botte. Quante te ne ha date, eh Giovanna?"

"Che c'entra questo, io so che le voleva bene. Era stretto tra l'incudine e il martello. L'amore per la moglie e quello per la figlia. Il Berzaga diceva che dopo che sei andata via non c'era giorno che il tuo papà non piangesse in bottega, quando pensava di essere solo. È morto dal dispiacere..."

"Poteva fare l'uomo, non farsi comandare da una donna.."

"Ma quando uno è innamorato..."

"Ma quale innamorato! Se ormai non dormiva neanche più in casa, stava in bottega anche di notte."

"Finiscila che non sai le cose! Sono in cortile da più anni di te, o sbaglio?"

"Tienti la tua ragione, zabetta che non sei altro!" E la Torelli si è messa a trottare verso casa.

La Doriana si è stretta nelle spalle, stizzita. Poi si è rivolta a me. L'uomo al centro della loro disputa era mio padre, e l'avevo appena perso.

"Vuoi entrare a bere un bicchiere d'acqua, un caffè?" mi ha chiesto. Chissà, forse avrebbe aggiunto un panino al salame.

"No, devo andare."

"Dov'è che stai adesso?"

Non badavo più a lei. Il loro racconto aveva mischiato le carte, non ci capivo più nulla.

La Maria dunque non era una usurpatrice. Non mi aveva scalzato dal cuore di papà. Lei era venuta prima, giusto o sbagliato che potessi giudicarlo, aveva le sue ragioni per non volermi. Capivo adesso perché non era stata tenera con me. Come avrebbe potuto essere tenera con un agnello, la figlia dell'accoppagnelletti?

La immaginavo in piedi nel cortile pieno di belati, farsi largo a forza tra le madri, tuffare le braccia nel mucchio dei piccoli, prenderne uno piangente e paffuto e sollevarlo trionfante in aria per consegnarlo alla mannaia. Eppure, era stata sacrificata al convento da suo padre, il Lampo, l'ex ciclista che amava le bollicine della Coca-Cola e appena poteva sollevava con la punta del bastone le gonnelle alle bambine, meglio se bastarde, orfane e disperate. Anche la Maria ha dovuto resistere a oltranza, fidando solo in sé. Forse, nel convento dell'Aprica, si sarà appesa come me alle sbarre di una finestra che dava sul tramonto. Anche lei come me, sotto un altro cielo, avrà pregato di essere tratta in salvo.

Ero tanto stanca! Eccomi davanti a casa. Stavo per bussare. La Maria mi avrebbe aperto? Non sapevo cosa le avrei detto esattamente. Lasciami stare un poco qui, in casa mia, è il posto che amo di più al mondo. Lasciami ramazzare i miei ricordi. Li metterò in un sacco e li porterò via con me. Non temere, stavolta me ne andrò senza addii. Quando si lascia davvero e per sempre qualcuno, qualcosa, non c'è bisogno di dire addio. Non c'è più bisogno di dire niente.

Ma la Maria non mi ha aperto. È venuta sulla soglia. Se avesse potuto, come in passato, mi avrebbe incenerita con uno sguardo e l'antico tremito è riaffiorato nelle mie ginocchia. Prima che riuscissi ad aprire bocca ha esclamato:

"Che vuoi? Non hai più niente da fare qui, vattene!".

"Fammi entrare solo un momento. È... casa mia."

"Questa non è mai stata e non sarà mai casa tua. Porti il cognome dei miei figli ma non sei neanche una sorellastra per loro. Se Pepino non ti ha riportata dove ti aveva presa è perché gli facevi pena. Era un debole, ti avrebbe tenuta in eterno. Ma ora ci sono solo io e qui tu non metterai più piede. Sei stata trattata fin troppo bene per quello che ti meriti, dovresti solo ringraziare. Lo sanno tutti che non siamo stati noi a cacciarti. Sei tu che sei andata via. Cosa vuoi, adesso? Non c'è niente di tuo, qui. Né un mattone, né un filo d'erba. Niente. Anche la legge è dalla mia parte. L'hai letto il certificato. Tu non sei stata adottata, sei stata affiliata. Af-fi-lia-ta. Porti il nome ma non hai diritti. Non sei una vera figlia."

Ha fatto per chiudere la porta. L'ho fermata appoggiandoci sopra tutte e due le mani.

"Aspetta. Papà... ha detto qualcosa per me?"

Non mi ha risposto.

Mi ha chiuso la porta in faccia. L'ultima cosa che ho visto è stata la credenza, e sopra il piatto di portata con le ciliegie.

174

L'orlo si era scheggiato per colpa mia. Una delle migliaia di volte che l'avevo lavato mi era sfuggito e aveva urtato il lavello di pietra, facendomi finire in cantina. Quell'oggetto sarebbe rimasto in casa, avrebbe continuato a svolgere la sua funzione mentre io e papà non c'eravamo più. Non è giusto che le cose sopravvivano alle persone che le hanno amate.

E un'altra cosa ho visto: il serpente di fuoco negli occhi della Maria, il lampo di soddisfazione vigliacca del vincitore che infierisce sul nemico già battuto.

Mentre guadagnavo la strada concentrandomi su ogni passo, ho scorso nella mente il mio certificato di nascita. Sì, adesso ricordavo. In alto. Sul margine sinistro del foglio. L'annotazione. Atto numero 51.

C'era scritto proprio così: affiliata.

22.

PERCHÉ L'HO FATTO

Il mondo è fuor dei cardini;
ed è un dannato scherzo della sorte
ch'io sia nato per riportarlo in sesto.

WILLIAM SHAKESPEARE

Avanzavo per i campi in direzione della provinciale con l'intenzione di fare l'autostop. Camminavo lentamente, senza forze. Se fossi stata furba avrei preso la corriera.
Ma non sono furba.
Tagliando per i campi, sei obbligato a passarci da quella cascina. L'ho riconosciuta subito. Ci venivo con papà, da piccola, a prendere burro, salame e forme di taleggio. C'era un nuovo fattore.
Stava aprendo dei covoni di fieno sotto una tettoia e una bimbetta gli ronzava intorno. Il fiocco bianco che le legava i capelli si era sciolto e i due lembi le cadevano mischiandosi ai boccoli, sulle spalle.
Lui indossava una camicia candida con le maniche rimboccate sugli avambracci e un paio di bretelle ricamate. Una sigaretta accesa tra le labbra.
"Papà, papà, guarda!" trillava lei, sparpagliando il fieno con le mani.
Com'era spensierata!
Lui le ha detto brusco: smettila, non farmi arrabbiare! Rastrellava, ma continuava a lanciarmi rapide occhiate. Doveva chiedersi chi fossi, cosa volessi, perché restavo impalata a guardarli invece di andarmene per la mia strada.
La piccola era una provocatrice nata. Ha finto di ubbidire, gli ha lasciato rimboccare il fieno sparpagliato, e subito ci

si è ributtata dentro sgambettando per gettare i ciuffi il più lontano possibile.

Stavolta il fattore ha fatto la voce grossa, ma la figlia non se n'è data pensiero. Starnazzava come un'anatrella. Il padre l'ha afferrata per un braccio, scuotendola tutta.

"Basta, Margherita, fila in casa!" le ha gridato.

Ha inforcato un mucchio di fieno, si è messo l'asta in spalla e senza più badare a lei si è diretto agli stabbi. Cocciuta, la bimbetta l'ha seguito.

E io dietro.

Perché non riuscivo a staccare gli occhi dai lucidi stivali, dalle bretelle ricamate, dalla camicia candida con le maniche rimboccate sugli avambracci e dalla tenera morbidezza delle gambette saltellanti, dal vestito d'organza, dai nastri penduli del fiocco sfatto che rimbalzavano sul collo a ogni salto.

Sono spariti nello stabbiolo.

La piccola strilla in quel modo che conosco fin troppo bene.

Perciò mi metto a correre.

In un lampo sono dentro.

Margherita è in terra, tutta rannicchiata, cerca di ripararsi la testa con le braccia. Suo padre si regge i pantaloni con una mano, nell'altra ha la cinghia e colpisce, colpisce, colpisce...

Che intanto continui a fumare mi manda il sangue al cervello.

È tutto confuso nella mia mente. So che mi avvento contro di lui. In certi momenti si diventa furie. Viene fuori una forza che non si sapeva di avere. Mi trovo in mano qualcosa, una pietra, un sasso, un bastone.

L'uomo è in terra adesso, lungo disteso, come morto. Io afferro la piccolina. No, alla sigaretta non ci penso. Non vedo le stoppie sfrigolare. Non vedo il fumo, neanche le fiammelle. Prendo Margherita in braccio e corro fuori. Metto il catenaccio alla porta perché non mi fido. Lui è tanto più grande e grosso di noi, ci raggiungerebbe subito.

Margherita strepita, si ribella, scalcia, vuol tornare dentro. Grida: "Papà, papà, aiuto!". Mi graffia. Morde, anche. Mi fa male. Ma io la stringo forte e non la lascio.

So benissimo che è una cosa tremenda aver messo il catenaccio. Ma ancora più tremendo è che la piccola voglia tornare dentro. Perciò penso solo a scappare, a metterci in salvo.

Prometto, me ne starò buona, mi comporterò bene, anche se non vedo il cielo ma solo corridoi e tutte le finestre hanno le sbarre.

Ogni tanto un dottore mi chiama e vuol parlare con me di quello che è successo. Vuol sapere perché ho messo il catenaccio. Cosa ha procurato i grossi lividi sui polsi e sulle caviglie della bimba. Come mi sono fatta quei profondi graffi. Dove ho tenuto nascosta Margherita.

Suo padre si è salvato, anche se l'incendio ha distrutto la stalla.

Io me ne sto zitta. La mia voce mi stanca, e sostenere uno sguardo che mi indaga mi confonde troppo. E poi, francamente, cosa posso dire? Non mi sento colpevole. Era necessario. Rifarei da capo quel che ho fatto.

Malgrado la bella stagione ho sempre freddo.

A pranzo e a cena nella mia minestra lasciano cadere parecchie gocce da alcune boccette.

È per farmi stare tranquilla.

Dicono che grido nel sonno. In realtà sono io che appena chiudo gli occhi sento gridare. È la voce affannata di Guido che mi cerca intorno alla stazione di Porta Genova:

"Nada! Nadežda!".

Ma quando sto per rispondergli la voce non è più la sua. È quella del poliziotto. No, è la voce di Vito Ferrari.

Per questo non rispondo. E poi, quel nome, come tutti gli altri che ho avuto, non me lo sento più addosso.

Non riesco neanche a stare ferma. Cammino tutto il giorno. Avanti e indietro lungo il perimetro della stanza mentre scrivo nella mente. Una lettera per volta, una per ognuna delle persone a cui voglio bene, e loro mi rispondono: Nina, la mamma Luigina, papà, il mio Graffiato, Achille il Pelide. Non c'è la donna che mi ha messa al mondo. Non penso più a lei, per me è davvero morta.

Tempo fa mi hanno mostrato una lettera di Vito Ferrari. Un foglio bianco con su scritto un numero di telefono e accanto una sola parola: chiama!
Me l'hanno messa nell'armadietto, aspettano una mia reazione. Per me può marcire lì dentro in eterno.

Mi tengono qui con la scusa che qualcosa non va nella mia testa, ma io so che è perché non ho un posto dove andare.
Non vomito più, ma quando mi sdraio nel letto, dentro, appena sopra i peli, sento un bozzo, come una palletta. Se ne sta lì e non si sposta neanche se ci spingo sopra forte con le dita.
Ovvio, non ne ho fatto parola con nessuno.
Spero sempre che una mattina mi sveglio ed è sparito.
Dicono che sia così, in questi posti. Il tempo non passa mai, poi tutto a un tratto è passato. Le cose si sistemano, se uno sa starsene tranquillo senza creare problemi né fastidi.
Capita che una montagna venga giù perché si sposta un sassolino. Perciò me ne starò tranquilla, non darò fastidio a nessuno.
Adesso però ho un favore da chiedervi, e spero che me lo farete.

Non dite a Margherita del catenaccio. Lei non ha visto mentre lo mettevo, le tenevo una mano sugli occhi, come a Buffo.

Se proprio volete raccontarle qualcosa, ditele che quel che ho fatto l'ho fatto per lei, per metterla in salvo, perché non le accadesse niente di male.

INDICE

Stampa Grafica Sipiel
Milano, gennaio 2003